YOUTH 经|典|译|丛 04
人猿泰山

父子双雄
The Son of Tarzan

［美］埃德加·伯勒斯 / 著
毕可生 孙亚英 / 译

中国青年出版社

(京) 新登字 083 号

图书在版编目（CIP）数据

父子双雄/（美）伯勒斯（Burroughs, E. R.）著；毕可生，孙亚英译.
—北京：中国青年出版社，2013.7
（人猿泰山系列）
书名原文：The Son of Tarzan
ISBN 978-7-5153-1811-0

Ⅰ.①父… Ⅱ.①伯…②毕…③孙… Ⅲ.①儿童文学—长篇小说—美国—现代 Ⅳ.①I712.84
中国版本图书馆 CIP 数据核字（2013）第 172485 号

责任编辑：杜惠玲　谢肇文
封面设计：瞿中华

出版发行：中国青年出版社
社　　址：北京东四十二条 21 号
邮　　编：100708
网　　址：www.cyp.com.cn
编辑电话：010-57350504
门市电话：010-57350370
印　　刷：三河市君旺印务有限公司
经　　销：新华书店

开　本：620×920　1/16
印　张：16
插　页：1
字　数：170 千字
版　次：2015 年 5 月北京第 1 版
印　次：2015 年 5 月河北第 1 次印刷
定　价：22.00 元

本图书如有印装质量问题，请凭购书发票与质检部联系调换
联系电话：010-57350337

猿语(泰山的母语)——中文对照表

动 物

巴拉——鹿

勃勒冈尼——大猩猩

布吐——犀牛

旦格——鬣狗

杜罗——河马

戈格——水牛

豪尔塔——野猪

吉姆拉——鳄鱼

库图——老鹰

努玛——雄狮

派可——斑马

盘巴——老鼠

沙保——母狮

吞特——大象

希斯塔——蛇

希塔——花斑豹

(　　　)——(　　　)
(　　　)——(　　　)

自　然

戈罗——月亮

库都——太阳

(　　　)——(　　　)
(　　　)——(　　　)

人

戈曼更——黑人

塔曼戈——白人

(　　　)——(　　　)
(　　　)——(　　　)

你还能找出多少来呢?

目 录

一	万里寻故人	001
二	杰克的家庭教师	009
三	带着大猿出走	019
四	被迫流落非洲	030
五	上校的女儿	038
六	丛林生活	048
七	谁才是朋友？	058
八	初会大猿群	066
九	救出梅林	074
十	梅林被劫	086
十一	猿王	093
十二	失败的救援	103
十三	昂贵的人质	111
十四	遇奇侠峰回路转	119
十五	大闹柯夫杜村	128
十六	有朋自远方来	136
十七	顿生恶念的追求者	145

十八	在黑夜的丛林里	154
十九	一封诱骗的情书	167
二十	陷入连环计	175
二十一	马里逊的忏悔	183
二十二	激烈的枪战	190
二十三	再陷魔掌	200
二十四	复仇	210
二十五	生死边缘	218
二十六	忠心和误解	230
二十七	骨肉团圆	239

一
万里寻故人

采集标本进行科学研究的"玛乔里"号轮船,趁着乌干壁河落潮,放下了一艘舢板。舢板顺流而下,毫不费力地前行,不大工夫,就走出三海里之外。从舢板上遥望"玛乔里"号大船,只能看见一个轮廓了。"玛乔里"在等舢板完成任务回来,就准备返航了。小船上的水手们有的在打盹,有的在闲谈,悠闲自在。忽然,大家注意到河的北岸站着一个奇形怪状的人,伸着赤裸的双臂,发着喑哑枯涩的喊声,似乎在向小船上的人打招呼。

大副轻声说:"看样子他似乎是个白人,来!我们把船靠上去,看他究竟要干什么。"

他们把船划近岸边,才看清楚这是一个憔悴的老人,披散着的白发已经粘成一片,瘦小佝偻的身体赤裸着,只在腰里围着一些破布。他一见人,泪珠就成串地滚了下来,挂在他痘痕斑斑的双颊上,口中在喃喃不清地说着什么。

大副听了一阵,听不明白他在说什么,就问他:"你是俄国人吗?你会讲英语吗?"

他似乎听懂了,于是就用英语讲起来,但他说得很吃力,很生硬,边想边说,断断续续,好像他已有很多年不讲英语了。水手们吃力地听着,他大意是说,恳求小船把他带走,离开这可怕的地方。大家商量了一下,出于怜悯,就答应了。老人一上船,就告诉搭救他的人们说,他身陷蛮荒已有十几年,这十几年中,吃尽了各种苦头。至于他是怎样来到非洲的,却只字不提。而且他语无伦次,让听他说话的人产生这样一种印象,仿佛他经历了过多的恐怖生活,使得他精神有点不大正常了,已经忘却了他从前的种种遭遇。他甚至连真实姓名也说不出来,只告诉水手们他叫米歇尔·萨布罗夫。其实,他就是曾经绑架泰山儿子的暴徒鲍勒维奇,从前他如狼似虎,现在却奄奄一息、孱弱老朽,谁也不会把眼前这个米歇尔·萨布罗夫与过去那个作恶多端的鲍勒维奇联系起来。

原来,鲍勒维奇自从黑社会头子罗可夫死于豹口之后,他侥幸逃生,已有十多年。但这个歹徒并不感谢上苍让他活到现在,反而在心里不断诅咒,认为罗可夫死得便宜,躲过了蛮荒中种种地狱般的痛苦,命运对自己实在是太残酷了。他多少个日夜处在恐怖的荒野里,简直还不如死了来得痛快。像他这种恶棍,是从来不知道感恩的。

鲍勒维奇本想炸毁"金凯德"号,又深恐泰山带着大猿和豹子来追捕他,所以冒险逃入丛林深处,不料他却被一个吃人部落的黑人捉去。由于过去他和罗可夫走过许多蛮村,作恶不少,可以说是劣迹斑斑,所以黑人们要动手杀死他,还多亏了酋长出来解围,才饶他一命。在苟延残喘中,他成了全部落的人都憎恶的家伙。武士们常用鞭子打他,妇女和小孩也常用棒子或石块打他,他只有躲避求饶,自然不敢还手。在这期间,他染上了可怕的天花，弄得一脸麻子，以前的满头黑发也变成了稀疏的黄毛，四肢弯曲，走路蹒跚，背也驼了，牙齿也被人们打掉了，连思维和反应能力也远不如昔日敏捷。现在，即使他亲生母亲见到他，恐怕也认不出他是自己的儿子了。

他们把他带上了"玛乔里"号大船之后，给他食物，让他休养。他体力稍有些恢复，但外貌变化不大，看上去简直像七八十岁的老人，谁也料不到他只有三十多岁。过上了安定生活的鲍勒维奇，心里仍充满了仇恨。他第一个痛恨的是他和罗可夫的共同敌人泰山，第二个则痛恨害他身陷蛮荒十多年的罗可夫，他痛定思痛，连判过他徒刑的法官、捉拿过他的警察、维护社会秩序的法律，都无一不恨。每天他都在心里谋划着，怎样才能出这一口恶气。日子久了，水手们见他瘦弱，既不能帮着干点什么，也不和任何人谈笑，大家也就不大理会他了。

"玛乔里"号在乌干壁河口的丛林岛旁停泊了很久，因为船上的几位科学家到内地汇报工作去了，他们所需的实验资源这个岛上却十分丰富，所以必须等专家们回来之后，才能进行下一步工作。水手们闲着没事，常去岛上走走玩玩。鲍勒维奇对船上的单调生活也感到厌倦了，就要求水手们也带他到岛上去。

荒岛上的森林蓊蓊郁郁，绿荫垂地。水手们一上岸，有的钓鱼，有的打猎。只有鲍勒维奇一个人，或蹒跚独行，或独坐在树荫下，暗自编织着他的复仇梦。

日子久了，大家也习惯鲍勒维奇这种状态了。上岛之后，水手们各玩各的，谁也不喊萨布罗夫一起玩，就让他一个人独往独来。有一天，萨布罗夫上岸之后，就枯坐在一株树下，没多久就睡着了。他正睡得香甜，忽然觉得有一只手在他肩膀上拍了一下。他从睡梦中惊醒了，转头一看，吓了一大跳：只见一只满身长毛的大猿，正蹲在他旁边，上上下下地打量他。鲍勒维奇吓得失魂丧魄，想要喊救命，看看水手们都离得很远，最近的也在一百米以外，而且玩得兴致正浓。他明白喊也没有用，也许反而会惹恼大猿，一下子就能要了自己的命。这大猿见他醒来，就用前爪抓住他的两个肩膀，嘴里喃喃地发着似话非话的声音。鲍勒维奇定了定神，看看大猿似乎没有加害于他的意思，就心惊胆战地试着站了起来。他看了看大猿，大猿竟也跟着自己一起站了起来。

鲍勒维奇心里在打着主意，想着该用什么方法才能摆脱这场灾难，他向水手们所在的方向慢慢挪去。他一步一拐，加上腿在打颤，走得十分吃力。大猿见他走路不方便，反而扶着他的胳膊，帮着他往前走。他心里更加纳闷了，这大猿到底要干什么？走到靠近水手的地方，大猿仍旧没有惊慌的神色，只是默不作声地看着人们。这时鲍勒维奇明白了，可以肯定这大猿确实不想伤人，它对人没有什么恶意。这一下，他放下心来了。刚有了安全感，一个贪婪的念头马上在他心里萌发了：在这个荒岛上，绝难找到发财之路，如果把这只大猿训练一下，让它学会耍些把戏，也许可以从它身上发一笔小财，自己也有了安身的本钱。想到这里，鲍勒维奇不由得喜上心头，脸上露出了久违的笑容。

那些水手突然听到脚步声，回头一看，也都吓了一大跳。大家看萨布罗夫敢跟大猿站在一起，便壮着胆子慢慢地围拢来。大猿看到这么多人，不但不害怕，反而迎上前去，抓住每一个水手的肩膀，神情专注地辨认每个人的面貌。只见它把头向左侧一阵,又向右侧一阵,仔细端详着、审视着,看完一个推开一个,直到把所有的人都看完之后,仍旧回到萨布罗夫身边站着,样子好像非常失望。水手们见大猿很有趣,就一边打量着它,一边向萨布罗夫问长问短。萨布罗夫也说不出所以然来,只喃喃地说:"这大猿是我的!这大猿是我的!"

　　水手中有一个叫辛普森的,是个捣蛋鬼,平时就爱开玩笑。这时他想起了一个恶作剧的办法,就拿了一根大头针来,转到大猿身后,在大猿的后颈部刺了一下。没想到这下可闯祸了,本来很温顺的大猿忽然暴怒起来,猛力抓住辛普森。辛普森没防到它有这一手,躲避已来不及,早被大猿牢牢抓住。他吓得没命地大叫,情急之下拔出了刺刀,准备自卫。没想到大猿比他的动作更敏捷,一下子把刺刀夺过来,丢在一旁。只见它张开血盆大口,向辛普森的肩膀咬去。

　　围观的水手在这一瞬间都吓呆了,等他们清醒过来,有的拔出刺刀,有的顺手拾起粗树枝,一窝蜂拥上去,要搭救自己的伙伴。萨布罗夫一见,焦急起来,唯恐水手们杀伤了大猿,那岂不坏了他的财源?于是他大叫着替大猿求饶。大猿却不管三七二十一,它并不怕对方人多,愤怒地发起威来。它看着围上来的水手,不慌不忙,先丢开辛普森,又挣脱了背上的两个水手,伸开它两只巨大的毛掌,东跳西蹿,连抓带打,动作非常敏捷,把围攻它的水手打得落花流水。

　　喧闹的声音越来越大了,"玛乔里"号的船长和大副也闻声赶来了,他们拿着手枪,由两名水手领着走来。大猿怒视着他们,一动不动。船长站得远远地喊着,要萨布罗夫和水手们躲远些,

人猿泰山·父子双雄　　005

看来,他准备开枪了。这时,萨布罗夫真急了,一边高喊着要船长别开枪,一边壮着胆子走近暴怒的大猿,要去保护它。这时他已顾不得害怕,顾不得大猿也有可能会伤害他,抓住大猿的前臂,撒腿就跑。说也奇怪,大猿竟肯乖乖地跟着他跑。

水手们见船长来了,也都四散开来观望,只剩萨布罗夫和大猿站在一起。他们虽然跑了一段路,可还是在手枪射程之内。船长往他俩跟前走了几步,喊道:"萨布罗夫!你让开!我要打死这畜生,免得它再伤害我的水手。"

萨布罗夫急忙解释道:"别开枪!别打死它!今天的事不能怪它,是水手先惹它的,它本来很温顺,他们跟它开玩笑开过了火,才惹得它发起脾气来。请别打死它,它是我的!你真要杀它,连我也一起杀了吧!"

船长看他真的急了,就问他:"你说是水手先惹它的,可是真的?"

平时,水手们之间互相打架动武也是司空见惯的事,所以船长对萨布罗夫的话已有几分相信。这时,辛普森的肩头被大猿咬脱了一块肉,那块肉还吊在肩上,鲜血淋漓,虽然疼痛,但毕竟觉着自己理亏,在大家面前也不好说什么。船长又追问水手们,到底是怎么闹起来的, 一个水手只好站出来说了实话:"是辛普森拿大头针扎大猿的后脖颈,大猿急了,才咬他的。我们大伙帮着辛普森,大猿才和我们打起来。说起缘由,倒真不能怪大猿。"

船长听了,知道是水手先惹事,不怪大猿,现在辛普森已被咬伤,也就不再追究,只叫他回船上去赶紧治伤。船长出于好奇,倒很想看看这大猿,就收起手枪,慢慢向它走去,嘴里喃喃地发出温和的声音,像是在和它打招呼。大猿也迎着船长走过来,这时,它似乎已经平静下来了。它走到船长面前,又按住船长的肩头,仔细端详他的面貌,看了很久很久,最后显出了失望的神色,推开了船长。忽然大猿发现大副和跟随船长的两个水手,是它从前没看见过的,于是又逐个仔细辨认了一遍,最后终于垂头丧气地走开,似乎彻底绝望了。

后来大家回到"玛乔里"号船上,船长答应萨布罗夫带着大猿同行,只是叮嘱他必须把大猿看管好,不能让它再伤人。那大猿经过这一场打闹之后,却总是木呆呆的,一副郁郁寡欢的样子。每当遇见生人,都要上去仔细观察一番,最后总是失望而退。人们对它这些动作已经习惯了,也就不再惊怪,船长和科学家们反而把这件事当作茶余饭后的谈资,但始终猜测不出,大猿为什么要辨认每一个生人的面貌呢?如果大猿是在城市里或在村落里发现的,也许是谁家豢养而走失了的,可以理解为它在寻找主人,可是大猿明明是在荒无人迹的林莽中发现的,那么它到底在找谁呢?大家都百思不得其解。除了辨认人的面貌,大猿还有一个极特别的习惯,就是上船之后,在船上到处乱闻,寻找每一个它没见过的人,直到所有的人都被它辨认完了,对所有的人和事才冷漠下来。它常常独自坐着出神,连鲍勒维奇给它食物它也不感兴趣,无精打采。

鲍勒维奇见大猿身体很强健,精力也旺盛,就给它取了个名字叫阿札克,想方设法对它进行训练,以达到用它赚钱的目的。但大猿对此总是敷衍冷淡,有时弄急了就发起脾气来,鲍勒维奇只好顺着它,不敢过分勉强。

旅程结束时,"玛乔里"号到了英国海港,船上的人都欢天喜地准备回家,只有鲍勒维奇一个人孤苦伶仃、无家可归。大家看他可怜,就给他凑了一笔钱,让他自己去谋生。鲍勒维奇向大家道了谢,就带着阿札克上岸去了。

上岸之后,鲍勒维奇先在伦敦找到一个既方便又便宜的住处,安顿下来,然后煞费苦心地照料大猿阿札克,让它渐渐熟悉环境,不至于发脾气撒野,再慢慢观察它喜欢什么样的食物,这些食物必须是市场上买得到的,而价钱又不贵。这些事说起来容易,做起来却不轻松,已经够鲍勒维奇劳神的了。最糟糕的是,只要鲍勒维奇带阿札克出去,无论走到哪里,阿札克一见生人,总要上前辨认一下,把那些人吓得忙不迭地逃走,给鲍勒维奇惹了不少麻烦。到后来,鲍勒维奇感到自己实在没法训练它了,只好带它去见一位有名的驯兽师,谈明情况。驯兽师一见大猿,非常高兴,就和鲍勒维奇签订了合同,由驯兽师负责训练阿札克。到能够公开表演时,门票收入除去开支外,驯兽师和鲍勒维奇按比例分成。这样做虽然收入不能全落入自己的腰包,但鲍勒维奇总算卸掉了一个无法胜任的重担,他没有其他办法好想,只好答应了。

从此以后,阿札克就住在伦敦,过着每日接受训练的生活,训练之余,就被关在笼内。它有时也发脾气,可是在驯兽师面前施展不开,驯兽师总有办法制服它。它只好忍耐,等待机会,再去辨认新的面孔,坚忍地要找到它想找的人。

二
杰克的家庭教师

哈罗德·摩尔先生是位有学识而且素养气质都很好的青年学者,对工作的责任心也很强。他受了一家贵族的聘请,担任这家的家庭教师,教一个年幼的孩子。然而,他却明确地感觉到自己没有能力使这个孩子成材,以答谢他父母的委托。一天,他被责任心所驱使,坦白地对这家的夫人说:

"论您儿子的资质,是很聪明的,如果他笨一点,我倒可以运用我学到的教学法慢慢引导他。但不好办的是,他太聪明了,他的记忆力很强,预习各门功课,只要走马观花地看一遍,他就明白了。不过,他对每种课程都浅尝辄止,不求甚解。我看他对于任何一种功课都没有多大兴趣。有时看到他坐在那里,摆出一副读书的样子,其实心没在书上。他学过的功课,过后再向他提问时,他必须再看一遍才能回答出来。我曾注意观察,只有对于体育,或关于野兽生活、野蛮地区风土记之类的书,他才喜欢。他对野兽故事尤其喜爱。像非洲探险记一类的著作,他可以坐在那里连看上几个小时,看得手不释卷,废寝忘食。有两次我看见他晚上在床上看卡尔·哈根贝克的《人与兽》,简直入了迷。"

孩子的母亲听着,由于心里有些着急和紧张,所以脚尖急促地轻点着壁炉边的地毯,显得忧心忡忡。她烦恼而又审慎地说:"先生既然发现了这些,您不能想想办法去矫正他吗?"

摩尔先生局促不安地回答说:"我——这个,我曾经试着没收他的课外读物……"说到这里他不好意思地脸一红,吞吞吐吐地说,"可是——嗯——您的儿子年纪虽小,力气却大得很呢!"

夫人急切地问道:"难道他敢对先生无礼吗?"

摩尔先生只好和盘托出了:"他不服从倒也罢了,还嬉皮笑脸地说自己是只大猩猩,那本书就是他的粮食。于是就把我当野人,跳起来抓我,嘴里还发出咆哮声。他把我举起来,摔到床上,然后跳上来掐我的脖子,弄得我几乎喘不过气来。后来还用脚踏住我的胸口,仰头发出吼叫,据他自己说这是大猿胜利后的长啸,听了叫人毛骨悚然。最后,他把我推出门去,锁在外面。"

老师说到这里,两个人都沉默了好一会儿,夫人终于开口说:"摩尔先生!我们既已聘请了您,无论如何请您费心,想法纠正他这种撒野淘气的毛病才好。他……"

她的话还没说完就被窗外的一声呐喊打断了,摩尔先生和夫人都吃惊地站了起来。原来他们谈话的房间是在二楼,窗外有一株大树,距窗口几尺有一个横枝。他们两人这时都发现,大树的横枝上正站着身材高大强壮的杰克。他站得很稳,面对母亲和教师,看着他们吃惊的样子,十分得意。母亲和教师唯恐他失足掉下来,吓得脸都白了,想要走到窗口喊他赶快小心地下来。哪知还不等他们走到那里,孩子已跳到窗台上,接着又纵身跳到屋里,嘴里大叫着:"一个婆罗洲的野人到城里来了!"显然这是他从书上看来的内容。他一边高喊着,一边学着野人的步伐跳着好像是非洲的野人舞,绕着母亲和摩尔先生转着唱着跳着。

等他闹够了,才抱住母亲的脖子亲吻她的双颊,叫着说:"有趣极了,有一个音乐厅里最近来了一只大猿,在表演节目,我的好同学威廉·格林斯比昨天晚上已经去看过了。他说大猿会做许多高难度动作,会骑自行车,会用刀叉吃东西,会数数,还能表演许多有趣的节目和技巧,就是不会说话罢了。我可以去看一次吗?妈妈!求你了,让我去吧!"

夫人为刚才的事惊魂甫定,抚摸着他的脸蛋摇着头说:"不行!杰克!你知道的,这种地方我从来不许你去。"

杰克略加思索,理直气壮地说:"妈妈!我为什么不能去看?很多孩子都去看了,他们还都到过动物园,可你连那里也不让我去,就为这个,他们讥笑我胆小,说我像小姑娘……啊!爸爸!"这时房门开了,走进一个身材高大、灰黑色眼睛的男人来。杰克像找到了救星一样,急切地问,"啊!爸爸!我可以去看吗?"

进来的人正是克莱顿勋爵——泰山。他一脸茫然地问道:"我的孩子,你要到哪里去?"

琴恩对她的丈夫使了个眼色说:"杰克要到一个音乐厅去看大猿的表演。"

泰山问:"哪个大猿?是不是叫阿札克?"显然他已经听说过这个大猿了。孩子点点头。

泰山说:"我想去是可以去的,我的孩子。我倒也想去呢!听说这大猿很聪明,而且身材高大强壮。琴!让我们一块去好吗?"

琴恩却十分坚定地摇了摇头,有意岔开话题,转身对摩尔先生说道:"先生,杰克早晨上课的时间到了吧?请先生给他上课去吧！"

等摩尔先生领走了杰克，她才走到丈夫跟前说："泰山！咱们的儿子杰克对什么功课都不感兴趣，只醉心于野兽生活，这一点，我认为是你遗传给他的。你的一颗心也是常牵挂在丛林里，你总认为在丛林里过海阔天空的原始生活才是人生真正的乐趣。你可知道杰克年纪小，有了这种想法，多么危险啊！假如你不设法纠正他，他很容易从喜好真的发展到去森林里生活的。"

泰山听了笑笑说："我认为这没多大关系，你别过分忧虑了。他喜欢研究丛林野兽，这对一个身体强壮的男孩子来说，也是常有的现象。我看不一定是我的遗传。不过，琴！我倒觉得你对他的约束未免太严了。就拿刚才的事说吧，杰克想去看阿札克，只不过出于好奇，并没有要和大猿结成密友。退一步来说，即使他有这个意思，我认为也没什么不好，琴！你说不是吗？"

泰山一口气说完，才发现妻子一脸的不高兴，他赶快搂住琴恩的脖子亲吻了她好几下。然后又面容严肃地说："关于我过去的生活，你不肯告诉杰克，也不许我对他说，我认为这是不对的。为什么要这样呢？我们既然发现他一心向往丛林，就应该把我以前与大猿一起生活的情况和经验告诉他。现在瞒着他，让他一无所知，一旦遇到了不测，一个什么都不知道的孩子，绝对应付不了森林里的种种危险。"

泰山虽然这样强调，琴恩还是坚决不同意。她摇着头说："泰山！我无论如何不赞成你的话。我不希望他向往丛林。你的蛮荒生活经历，我们不是向他隐瞒了这么多年吗？何必现在又一下子改变原来的做法呢？"

泰山夫妇的辩论毫无结果。

傍晚时,杰克拿着一本书,正坐在大椅子上阅读。忽然,他把书一合,突如其来地问父亲道:"爸爸!为什么我不能去看阿札克?"

泰山说:"你母亲不赞成。"

杰克穷追不舍地问:"那么你呢?"

泰山有意不正面回答,支吾地说:"你母亲不许去,就不该再要求去。"

杰克沉思了一会儿说:"我和格林斯比一样都是小孩,为什么他能去,我不能去呢?而且,我的许多伙伴也都去看了,大猿并没有伤害他们,看来它也不会伤害我的。现在,我正式告诉您,爸爸,我一定要去,不过我不是不懂规矩,所以我事先告诉您。我是一定要去的!"

杰克虽然态度很坚决,话也说得很强硬,但他并没有傲然无礼、不尊敬长辈的样子。泰山见他还仅仅是个小孩,却有了一种成年人的气概和主见,心里暗暗高兴,可他嘴里却说:"你肯把心里话告诉我,这很好。不过我要警告你,如果你去看阿札克,事先一定要得到我的同意。如果你私自出去,我可不答应,别看爸爸平时非常疼爱你,从来没有打过你,但如果你违抗母亲的命令,我可要按家法从事的!"

杰克听了以后说:"知道了,爸爸!不过,我告诉你,爸爸!我一定会去看阿札克的。"

摩尔先生的卧房就在杰克房间的隔壁,每天晚上睡觉之前,老师必定到学生房里巡视一下。摩尔先生是个非常有责任心的人，尤其在泰山夫妇和他作过一次恳切的谈话之后，他怕杰克私自去看阿札克，就更加留意了。这天晚上九点钟，他照常去杰克的房间，推开孩子的房门，不禁大吃一惊。他看到杰克已经换了夜礼服，站在窗口。窗户开着，杰克做着就要跳下去的姿势。摩尔先生一个箭步蹿上去，要拦住他。孩子听见后面有脚步声，立即转过身来，面对着摩尔先生。老师气喘吁吁地问："你要到哪里去？"

杰克冷冷地回答说："我要去看阿札克！"

"这可太让我不可思议了。"老师说。可是，更令他不可思议的事马上发生了，还没等摩尔先生喊出声，杰克已经跳到他身边，伸出手臂，搂住他的腰，双手把他举起来，猛地向床上一摔。摩尔先生的脸贴在枕头上，被杰克扑上来紧紧按住，一动也不能动了。杰克还低声恫吓他说："别喊！不然我可要掐死你！"

摩尔先生无论怎样奋力抵抗，也挣扎不起来，只好任他摆布。杰克按住老师，撕破了床单，用布条把先生的手反缚在背后，然后又把先生翻过来，脸朝上，又扯了一条被单，中间打了一个大结，逼先生张开嘴，把布结塞进先生的嘴里，使他无法喊叫，接着又把布条的两端扎在他脑后，使布结不能移动。杰克手里一边忙着这些，一边低声对摩尔先生说："我是瓦吉部落的首领瓦扎，而你就是穆罕默德·杜本，阿拉伯的酋长。你想来杀我的族民，盗窃我的象牙，现在被我捉到了，捆绑起来。"显然他把从哪本书中看来的情节当作游戏来实践了，说着他又把摩尔先生的两腿也绑了起来。最后他对摩尔先生说："啊哈！你这家伙，现在完全在我掌握之中了。我要走了，等一会儿我回来放你。"

杰克说完匆匆走到窗前,跳到窗台上,顺着屋檐下的水管溜了下去。

摩尔先生看着杰克从窗子跳出去,他在床上扭动着,拼命挣扎,知道如果没有外面的人进来帮忙,自己无论如何也解不开。他无计可施,只好冒险滚下床来,重重地摔了一下。他摔得头晕目眩,定了定神后,尽力思考解救自己的办法。忽然他想起刚才和勋爵夫妇谈话的地方,就在这卧室的下面。不过时间已经过了很久,不知他们现在还在不在那里,但是,怎样向他们呼救呢?无可奈何中,他想到了一个方法:用脚尖敲地板。然而,就连这个极简单的动作,现在做起来也很不容易。他竭力挣扎着敲了很久很久,才听到有人上楼的脚步声。来人到了房门外,轻轻敲了几下门,摩尔先生仍旧用劲敲了几下地板,他又急又气,外面的人为什么不开门进来呢?他只好继续踢着地板,外面的人仍然没有进来。

摩尔先生渐渐没有力气再踢了,他想如果滚到门边,用脚尖去敲门,也许更有效果些,哪知只滚到了一半,敲门声音也高了些,外面的人似乎不耐烦了,叫着:"杰克少爷!"这是侍候杰克的仆人。

摩尔先生已经听出他的声音了。他又滚近屋门一些,用尽吃奶的力气,从塞在嘴里的布缝中,透出一丝声音:"进来!"

外面的人没有听见,又敲了一阵门,叫了几声孩子的名字。这时摩尔先生才想起,他进门的时候自己已经把碰锁锁上了。他听到外面的仆人推了几下门推不开,就径直下楼去了。摩尔先生经过这样一阵努力,又急又累竟晕了过去。

与此同时,杰克在音乐厅里却是快乐极了。他买了一张包厢

人猿泰山·父子双雄　　015

票，其他节目他都不大感兴趣，只是急不可耐地等着阿札克的上场。好容易盼到了这个压轴的精彩节目。杰克静静地倚着包厢的栏杆，睁大了眼睛，目不转睛地看着大猿的表演。那教练已经注意到包厢里这位贵族孩子，心里暗暗打好了一个主意。原来阿札克在表演时，常常跳到包厢座位上去辨认各位客人的面貌。所以，这次教练准备指使它跳进这个孩子的包厢，孩子见到这么一头毛氄氄的大猿跳到身边，一定会大为惊吓。那么这个表演一准会赢得个满场喝彩，起码是一阵大笑和掌声。即使那孩子责问，也可以推说大猿喜欢亲近观众，常常如此的。而且，教练已经观察到包厢里只有孩子一人，既没有家长，也没有仆人，绝不会惹出太大的麻烦来。于是他便大胆地指使大猿跳到孩子跟前去了。结果教练却发现他原来的设想完全失败了，那孩子不但一点儿不怕，反而露出满面笑容，伸手抚摸着大猿，像遇见了朋友一样。那大猿也照例伸出前爪，抓住杰克的肩胛，目不转睛地看着孩子的脸，仔细审视和分辨着，好久以后又去摸摸孩子的头发和额角，低低地发出咕噜声，好像讲着什么，并且显出惊讶的神情。

　　阿札克平时辨认观众从来没有这么长久过，总是看一两下就走了，唯独今天对这个孩子异常亲切，似乎絮叨着什么听不懂的话语，还显得特别高兴。大猿不但不回到台上去，反而攀进了包厢靠近杰克坐下来。全场观众看到这意外精彩的一幕，都鼓掌大笑起来。这一下，教练可急坏了，因为阿札克的节目还没有表演完，应该继续下去。他高声命令大猿下来，大猿却直望着他一动不动。一直耽搁了很长时间，经理先生也着急起来，逼着教练到包厢里去把大猿拖下来。谁知教练一进包厢，大猿竟一反常态,露出了锐利的獠牙,咆哮着要咬教练。经理先生拿了鞭子来帮忙也毫无效果。

观众对于这一突发状况却更加高兴起来,他们为大猿和杰克喝彩,也嘲笑教练和经理先生的尴尬和束手无策。

教练觉得自己的威信当众受到损伤,也怕因而丢掉这份工作。他恼羞成怒,立刻跑到后台,拿了一根驯猛兽才用的粗鞭子,想用强力逼迫大猿回到台上去。但当他走向包厢时,马上被新的情势惊呆了,原先还只是阿札克反抗他,这次连那个孩子也被激怒而参加进来,只见他站了起来抓起一只椅子,准备和大猿并肩作战,向教练发起反击。杰克满面怒容,大有不闹个天翻地覆绝不罢休的架势。

再回过笔来说说泰山府上的情况。那敲门的仆人也觉得情况不对,又不知道发生了什么事,急得面色灰白,赶忙跑到爵士书房里报告:"杰克的屋门锁着,敲了半天没有人答应,听得好像有人在地板上打滚,还有敲地板的声音。"

泰山一听,估计是出了什么事情,马上同那仆人飞步上楼。夫人琴恩也带着仆人紧跟上来。泰山在门外喊了几声杰克的名字,侧耳向里面听听,一点儿声音也没有。于是泰山向后退了一步,用半个身子猛地向门上一撞,门上的锁舌、铰链和合叶就都断了,那扇门砰的一声向房里飞了进去。

谁知屋门落下来,正好压在晕过去的摩尔先生身上。这扇沉重的大屋门把摩尔先生的整个身体都盖住了。泰山进去先开了电灯,向四周打量了一圈,只见床上凌乱,却没有杰克;窗户洞开,也没有发现什么打斗过的痕迹。后来从落下来的门板下面,才发现了被捆绑着人事不省的摩尔先生。泰山命人赶快给他松绑,又用冷水喷,才使他醒过来。泰山急忙问道:"先生!杰克到哪里去了?是谁把您捆起来的?"

泰山心里十分焦急,他想到罗可夫诱拐绑架的事,深恐这又是仇人的第二次光顾。摩尔先生慢慢苏醒过来,手脚都捆得麻木了,好半天才缓了过来,定了定神没好气地把方才杰克怎样收拾他的经过一一诉说出来。最后他气愤地说:"我没法做您儿子的教师,这次可是一定要辞职了。我看像您儿子这样的孩子,不必请家庭教师,请一个野兽教练来训练他,倒是个好办法。"

琴恩听了焦急地问道:"先生!那么杰克到底到哪里去了?"

摩尔先生说:"劝不住也拦不住地去看阿札克了!"

泰山听了暗自好笑。他仔细观察摩尔先生,见他并没有受伤,只是饱受了一场折磨和虚惊,不免诚恳地多说了几句道歉的话,好好安慰一番。他一边派人送先生回房间去休息,一边吩咐备好车辆,自己匆匆上车,直奔音乐厅而去。

三
带着大猿出走

教练走进包厢,见到那孩子站在大猿身边,一脸怒容,大有和大猿共同作战的气势,教练看这阵仗,倒不敢轻易动手了。正在这时,一位魁梧英俊、风度翩翩的男子也走进了包厢。杰克一见不禁又窘迫又惭愧地涨红了脸,不由叫了一声:"爸爸!"

进来的正是泰山。

大猿只看了泰山一眼,完全没有对别人的那些烦琐的辨认过程,立刻就跳了过去,又亲热、又委屈、又急切地咕咕哝哝说着什么。泰山听着,十分惊奇,睁大眼睛对那大猿上下打量一番,不由得脱口叫道:"阿库特!"

杰克在旁边看着这一幕,非常迷惑不解。他看看大猿,又看看父亲。大猿似乎对父亲诉说着什么。教练也张大了嘴,莫名其妙地看着,而且觉得非常奇怪,一位英国绅士为什么也会用一种叽里咕噜的声音与大猿交谈呢?就是场中的观众,也看得呆了。但是,此时除了泰山和大猿,大概只有一个人完全知道其中的情由,他就是化名萨布罗夫的亚历克西斯·鲍勒维奇。这个歹徒远远望着包厢中的泰山,一种无法形容的惊喜神情,不自禁地从他那痘痕斑斑的脸上流露出来。

阿库特发现泰山认出了它，便用猿语向他愀然说道："你让我找得好苦啊！泰山！我要你跟我一同回到你的那一片丛林里去。"

泰山听了，不禁心里一阵难过。他抚着大猿的头，想起十年前在乌干壁河流域，他们曾无数次肩并肩和敌人战斗。阿库特虽是异类，却没有过贪生怕死、畏缩不前的时候。它总是听从泰山的指挥，勇往直前。那时还有挥舞着木棒的黑人莫干壁和凶猛的长着粗壮翘胡子的猎豹，与泰山同历艰苦。如今回忆旧事，这些同伴都不在身边了。自己在人烟稠密的上流社会中，匆匆已是十年，泰山心头不禁掠过一阵悲凉。记得在丛林荒岛临别的时候，阿库特曾是何等恋恋不舍，如今又远涉重洋来找自己，大猿那种毫不掩饰的真情与人类中某些人的伪善、狡诈相比，真是太可贵了，可谓历艰不改，历时不衰。当年在乌干壁河流域的情景历历如昨日般，此刻都在泰山的脑海里翻腾起来，使他几乎恨不得一脚就跨回旧地，重过那海阔天空、无拘无束的快乐生活。但转念一想，他已有了琴恩，有了家庭和儿子，在社会上也有了自己的地位和友人，只好长叹一声，对阿库特说："我跟你一起重回丛林，现在是万万不可能的了。我不能抛下家庭和种种社会关系，跟你回到蛮荒野地去。但这里人烟稠密，是人的世界，不是你久留之地。我还是要设法送你回去。"阿库特听了不禁流露出失望和悲伤的样子。台下的观众只见包厢里的大猿和泰山咕咕哝哝了一阵，自然不知他们在做什么，许多人虽然没能看到节目继续演下去，但这一幕人与猿的交流，远胜一场节目，又大可作以后的谈资，就也都满足地纷纷离去了。

此时，教练走了过来，大猿又龇着牙向他咆哮。泰山只好抚摸着它的头说："跟他去吧!阿库特!我明天一定再来看你。"

阿库特这才神色怏怏地跟着教练走了。泰山又向教练问明了他们的住址，才转身对儿子说："我们走吧!"

泰山父子俩走出音乐厅，坐进汽车里，好久，两人都没有开口，各人想着自己的心事。最后，杰克终于忍不住了，问道："爸爸!你和那大猿是怎样认识的?你怎么也会说猿语呢?"

泰山见事已至此，知道瞒不住了，就把自己的身世、早年的历史，简单扼要地告诉了杰克——自己是怎样从小就生长在丛林里，父母是怎样死去的，母猿卡拉怎样抚养自己长大成人。讲了这些之后，泰山顺便也讲了丛林里的危险和恐怖，譬如日日夜夜都可能有猛兽随时袭来，万分惊心动魄。自然环境也是十分艰苦的，例如旱季的炎热，雨季的潮湿，生活中饥渴困人，居无定所等等，真像活在地狱里一样。假如泰山把这些话讲给文明社会里别的孩子听，他们一定会惊恐万分。然而杰克不仅不怕，反而听得津津有味、兴趣盎然。泰山之所以把自己喜爱的森林描述得如此可怕，却别有一番良苦用心，他有意要让杰克断绝对森林生活的向往。

父子回到家中，泰山不再追究和申斥杰克，只送他回房睡觉。泰山回到他的卧室，把音乐厅上的所见所闻，以及自己终于告诉了杰克自己身世的事，都讲给琴恩听了。琴恩听了只是摇摇头。她本是个通情达理的人，明白泰山早年的历史迟早要让杰克知道，只是希望杰克听了之后，不要再有对丛林生活的向往和憧憬。

第二天,泰山果然去看望阿库特。杰克闹着也要跟去,泰山板起面孔执意不许,杰克只好作罢。这一次泰山见到了大猿的主人——一个麻脸的老头子。因为鲍勒维奇的面容和体形改变太大,泰山丝毫也没有认出他来。泰山和他谈了许久,问他要多少钱才肯卖出这只大猿。鲍勒维奇开始一口回绝,说他必须仰仗大猿挣钱糊口,是绝不能卖的。后来泰山再三要求,并许以重金,鲍勒维奇才勉强说容他再考虑一下。

泰山回到家,把刚才与大猿主人交涉的情况跟家里人说了。杰克十分高兴,立刻怂恿父亲把那只大猿买回来,养在家中。琴恩则竭力反对,因为父子俩本来就向往荒野丛林,再弄只野猿回来养着,岂不是更把自己的两个亲人往丛林里引吗?这是绝对不可以的。然而,孩子仍是死活纠缠,使泰山左右为难。但他一定要救出阿库特的想法,却是始终没有改变的。最后,他想出了一个折中的办法:把大猿买下来,但对儿子讲明,兽类只能在大自然里生活,总把它圈在一个地方,它会感到寂寞的。为大猿着想,把它买下来之后,还是把它送回到非洲丛林去好。这个主意琴恩和杰克倒都赞成。只是杰克最后提出,在买回来之前,他仍要去看阿库特。泰山没有答应,严肃地告诉儿子说:"不要老想着大猿,应该好好读书。"杰克听了嘴里不说什么,心里却在努力回忆,当时教练曾告诉过父亲一个地址,他恍惚还记得。

摩尔先生已经辞职了,新来的先生更好说话。两天以后杰克请了一次假,去看大猿。他边问路边找,虽然比较难,但最后还是被他找到了。一个麻脸的老人给他开了门,这老人自然就是鲍勒维奇了。他不知道杰克的名字,但认得出就是那晚在包厢里的贵族孩子。鲍勒维奇问明了来意才知道,他是来看阿札克的,于是就请他进来。他领杰克走进一套小房间,这就是他和阿札克共同居住的地方。鲍勒维奇多年以前当然也曾在文明社会里生活过,他也曾富有过。但近十年来,他流落在非洲荒野,在野蛮部落里生活惯了,不自觉地染上了许多荒野生活的习惯,他的衣服污秽不堪,手脸也多日不洗。屋子里杂乱无章,还有一股难闻的气味。

杰克一进屋,就瞥见那只大猿蹲在床上。阿札克是认识杰克的,立刻就跳下来迎接他。鲍勒维奇在那天晚上虽然远远看见泰山和这孩子出现在同一个包厢里,但因为离得远,听不见他们的对话,所以还不知道杰克就是泰山的儿子。这时,他怕大猿会伤着孩子,闹出岔子来,赶快走上前去拦在杰克和大猿之间,吆喝大猿回到床上去。杰克却毫不害怕地对鲍勒维奇说:"你不必担心,它不会伤害我的。老早以前,它就是我爸爸的老朋友了,他们是在丛林中相识的。我爸爸就是克莱顿爵士,我是瞒着爸妈自己偷偷来的。如果你让我常来看他,我会给你重谢的。"

这一席话使鲍勒维奇马上就明白了,原来这孩子就是十年前他和罗可夫共同绑架过的泰山之子。现在这孩子又自己送上门来了,这岂不是天赐良机?复仇的恶念在他心里翻腾着。

原来鲍勒维奇始终认为是泰山害他流落蛮荒十年,这个恶棍是一点儿自省的想法也没有的。所以,此仇不报他决不甘心,只是他无从对泰山下手。现在发现杰克原来是泰山的儿子,如果能把这孩子收拾掉,也同样算出了一口恶气。

于是,鲍勒维奇就套问杰克那晚到音乐厅的事,引逗毫无戒备之心的杰克讲出了许多心里话。当鲍勒维奇得知杰克醉心丛林生活时，便有意把自己在非洲的见闻添枝加叶，说得天花乱坠。这一招果然生效，杰克误以为他是个喜欢小孩子的和善老人，又有满肚子好听的故事，自此，只要一有闲空，就偷偷跑来探望阿札克，并听老头鲍勒维奇聊天。

鲍勒维奇存了恶毒用心，每当杰克来了，他聊一会儿就常常借故走开，把杰克留给阿札克。因为他认为，一个大猿和一个孩子绝不会长期相处得很好的，说不定什么时候杰克把阿札克给惹恼了，就可以借大猿的利爪结果仇人儿子的性命了。可是他万万没有料到，他的如意算盘竟打错了。杰克和阿札克不但相处得非常好，而且，这孩子还学了几句简单的猿语，居然能和阿札克交谈了。鲍勒维奇看到这种情况，真是后悔莫及，尽管恨得牙根发痒，但终归束手无策，只好把复仇的事暂时搁起，再慢慢想办法了。

这期间，泰山也常来访问鲍勒维奇，看看阿札克，但主要是和鲍勒维奇商议赎买阿札克的条件和价钱。泰山一直没有看出鲍勒维奇是过去同自己打过交道的人，总以为他不过是个耍猴子的普通人，只要多给他些钱，他是没有什么不肯的。泰山只说是自己的孩子太爱这只大猿了，可是孩子的妈妈怕他常跑到这里来荒废了学业，也害怕日子久了说不定大猿会伤了孩子，因此，才决定不惜重金买下来，把这只大猿再送回非洲去。鲍勒维奇听了这些，心中不免暗笑起来，笑这个当父亲的根本不知道，就在半小时之前，他的爱子还在这里和阿札克一起玩呢！

鲍勒维奇想来想去，还是决定把阿札克卖给泰山。不过，一定要狠狠地敲一笔钱。因为：第一，自己正处在穷困之中，用一只白白得来的大猿换一笔数目可观的钱作为养老金,这当然是划得来的事,何乐而不为呢?第二,大猿开始演出时,倒还听话卖力,自从见到泰山以后,它就常常不接受命令了,不时发威咆哮,好像要从他们手里挣脱出去。有一次教练用棒子威胁它,不但没能制服它,反而叫它弄断了棒子,教练要不是逃得快,连性命都险些葬送在它的爪牙之下。另外,它对观众的吸引力也越来越小了。所以,鲍勒维奇想来想去,觉得倒不如卖了大猿,眼下总还能得一大笔钱,于是,就答应了泰山。并且说定收到钱的第二天,由大猿主人亲自送大猿到多佛尔去,码头上有一条开往非洲的船,泰山已与船主说定,把大猿放回到非洲的丛林里去,鲍勒维奇只需带着大猿到那里办交割手续就可以了。

钱的问题虽然解决了,但报仇的事鲍勒维奇却不能就此罢休。十年前的宿怨,连同这次泰山突然出现让他失掉了大猿这棵摇钱树,新仇旧恨都让他难以消解。终于,一条毒计渐渐在他心里形成:杰克非常喜欢阿札克,那么在阿札克被送往非洲之前,杰克一定会来和它道别,可以趁机害死杰克,这样可以很自然地把罪过推到阿札克身上,然后再把大猿打死,也就死无对证了。何况除了泰山能和阿札克沟通外,别人谁也无法了解阿札克的意思。鲍勒维奇想了这样一条一箭双雕的报仇计划,心里很得意。这会儿他心里似乎只有仇恨和狠毒,连与他相处很久又为他赚了许多钱的阿札克,他也没有一点怜惜之情。

那天,杰克听到父亲和母亲说要把大猿买下来,送回非洲去,他抱着一线希望,请求父母把阿札克留在家里。泰山似乎还有几分动摇,可是琴恩却一口回绝。杰克再三恳求妈妈,也没有生效。最后，仍旧按照琴恩的主张，一面送大猿到非洲去，一面送孩子到寄宿学校去，因为杰克的假期已经满了。

孩子们大多有一种心理：自己的一个强烈愿望不能满足时，反而会时时萦绕心头，难以释怀。母亲的坚决拒绝迫使杰克自作聪明，苦心地想出了一套办法。那天他暂不忙着去看望阿札克，却把自己平时私蓄的一些钱收集在一起，大约有一百镑左右，趁家里人不注意，到街上买了许多日常用品，偷偷地带回家中藏了起来。这时已经是下午了。

次日早晨，等到泰山给鲍勒维奇付了钱回家之后，杰克避开家里人，提着装有日常用品的提包，急匆匆地跑到鲍勒维奇那里。他不知道这老头儿是否可靠，怕他把自己偷偷来看过阿札克的事告诉爸爸，那样，自己的完美计划就全泡汤了。所以他不敢对鲍勒维奇说实话，只说看鲍勒维奇年老体弱，不便跋涉，自己愿意代替鲍勒维奇送阿札克到多佛尔去。他还怕鲍勒维奇不答应，又塞给他一些钱，并对他说："这事你不用担心，别人不会知道的。我今天下午乘火车到学校去，我父母会送我去车站，等开车前他们走了之后，我就马上赶到你这儿来，带阿札克到多佛尔去。我只会耽搁一两天，等阿札克上了船，我会立刻回学校。只有一两天工夫，谁也不会知道的。你看怎么样？"

鲍勒维奇听了这话，当然正中下怀，他正担心阿札克走之前杰克不来呢！

泰山夫妇果然对杰克的计划一无所知。就在这天下午，他们送儿子到火车站，等杰克安安稳稳地坐进了车厢，他们就回去了。避免开车前的那一段时间等得无聊，也免得琴恩和杰克又会伤感。他们哪里知道,杰克等他们一走,赶紧拿好随身行李,急急出了车站,叫了一辆出租车,直奔鲍勒维奇住的地方。到了那里,已是傍晚时候,鲍勒维奇早在那里等他了。老头儿焦急地在肮脏的屋子里踱来踱去。阿札克被他绑在床栏上。杰克感到非常惊奇,问鲍勒维奇为什么要把阿札克绑起来。鲍勒维奇早编好了一套谎话:"我发现阿札克好像已经觉察到要把它从伦敦送走,因而有了要逃跑的迹象,为了不让它逃跑,所以我只好想法把它捆绑起来。"

鲍勒维奇一边说,一边手中玩弄着一根一头打了活结的绳子。说完了这些话,他仍在屋里走来走去,一边自言自语、嘟嘟囔囔,脸色也挺不好看。杰克一时也弄不清他是为什么,还误以为他是舍不得阿札克离开,有点精神失常呢!

最后,鲍勒维奇站住了说:"孩子!你过来,你一定不懂得怎样捉大猿和制服它吧?我得教会你。不然的话,等一会儿你带它上路,万一它不听你指挥发起脾气来,那可是挺危险的。"

杰克听了大笑说:"那倒不一定,阿札克一定会听我话的。"

鲍勒维奇听了,很不高兴地说:"你过来!听我的话!要是你不听我的,我就不让你带它到多佛尔去。我不能保证它不逃走,而且,它如果弄伤了你,我可负不起那个责任!"

杰克不知是计,只好走到鲍勒维奇面前。鲍勒维奇说:"你背过身去,让我做给你看,要捆大猿,必须从它后面来。"

杰克听了,只好转过身去,又照他的吩咐,把手背到后面。鲍勒维奇一步走了上去,忙用活结套住杰克的双手,把绳子抽紧,杰克立刻就动弹不得了。

鲍勒维奇把杰克捆好了。杰克还没弄明白是怎么回事,鲍勒维奇立刻变了脸,目露凶光,恶狠狠地骂起来。他把杰克的身子一扳,照杰克脸上就是一巴掌,把杰克打翻在地。接着他跳上前去,一脚踏住杰克的胸口,让他喊也喊不出来。这时绑在床上的阿札克见了,立刻咆哮起来,一面用力想挣脱绳索。

杰克这会儿并不叫喊,因为他听泰山说过,爸爸在丛林中时,自从养母老猿卡拉一死,他就只有自己保护自己了。每逢遇到危险而又孤立无援时,总是忍受着威胁,努力镇定自己,运用智慧,思考摆脱危险的办法。

谁知这时,鲍勒维奇竟弯下身来,两手放在杰克的脖子上,一脸狞笑地说:"我一生的幸福完全毁在你爸爸手里,他还没认出我来呢!现在,我就要先在你身上报了仇。等我杀了你,就把你扔到床上,然后,放开阿札克,锁了门就去找你爸爸。告诉他,你是趁我不在时,自己溜进来的,不知怎么惹恼了阿札克,等我回来时才发现你已被杀死了。你还不知道呢,我已把阿札克关了两天,没有给它东西吃。等我和你爸爸来时,阿札克准定正抓着你的尸体大嚼呢!那时,我就先开枪把它打死。小杂种!我的计划是天衣无缝的,你就给我乖乖地死吧!"

杰克听了不禁毛骨悚然。这时,他忽地想起阿札克教给他的求救呼号,于是就试着叫了一声。鲍勒维奇还一点儿不知道他喊的是什么。在他背后,被绑在床上的阿札克立刻就回应地咆哮起来,声音如雷,震得四壁都嗡嗡作响,发出惨厉的回声。它一边咆哮,一边拼命挣脱绳索。它用两只后肢蹬住床板用力一挣,只听咔嚓一声巨响,绳子虽然还带在身上,床栏已被它巨大沉重的身体挣断了。

鲍勒维奇听见声音,回头看时,阿札克已经带着松了的绳子向他扑来。鲍勒维奇大吃一惊,不由得叫了起来。他以为阿札克还会听他的喝斥呢!岂知阿札克把他从杰克身上猛地推开,仰面甩在墙边,接着扑上来,一口就咬住了他的咽喉。鲍勒维奇这个恶棍,还没明白过来是怎么一回事,就一命呜呼了!

然后,阿札克把杰克扶了起来,在杰克的指挥下松开了绳子,杰克又恢复了自由。杰克也替阿札克解掉了挂在它身上的那一段绳子,接着打开了他的行李箱,取出一套原先就为大猿准备好了的衣服,给它穿了起来,改扮成一个人的样子。他们一同走出屋子,幸好没有人看见,即便遇到人,若不仔细观察,也不会发现这两个同行的人中,竟有一个是满身是毛的大猿,只不过觉得它是一位高大而肥胖的老人,步履有些蹒跚罢了。

四
被迫流落非洲

这个化名为萨布罗夫的鲍勒维奇,本是个庸碌无名之辈,而他的死,却让他出尽了风头。他的姓名,以及死亡之谜,成了报纸上引人注目的新闻。泰山读到这些消息后,怕引起别人议论,牵连进去影响自己的声望,于是和新闻界中的人磋商,总算没有提到他的姓名。他非常关心阿库特,因而不断向警察机关探听大猿的下落。

正当社会上把萨布罗夫的死和大猿的失踪当作一个疑案议论纷纷,而泰山也对此感到莫名其妙的时候,杰克的校方忽然来人询问泰山,他的儿子为什么没有如期上学。泰山大吃一惊,这才知道杰克并没有到学校去。他很奇怪,那天明明是他和琴恩亲自送杰克上的火车,他又到哪里去了呢?但是,尽管事情发展到这一步,泰山怎么也想不到杰克的失踪和大猿的失踪有联系。打听了一段时间之后,他才知道这孩子在开车之前竟离开了车站。他又在火车站前的出租车站,打听到了曾经载过杰克的那个司机。据司机说,他只是送杰克到萨布罗夫家里去,然后杰克也没让他等,就打发他回来了。所以,以后的事他也不知道了。

又据萨布罗夫寓所附近的人说,那天听到大猿的咆哮,一会儿又没有声音了,所以,他们也没敢过去看,更不知道大猿和孩子的下落。只有萨布罗夫的房东,看了杰克的照片以后,认出来杰克就是经常到萨布罗夫这里来的那个孩子,再多的事他也不知道了。这样一来,萨布罗夫的死、大猿和孩子的失踪,就成了伦敦一桩解不开的谜了!世上的事,总是如此,沸沸扬扬了一阵之后,没有结果,人们也就把它当一桩悬案放在一边,渐渐地淡忘了。只有泰山夫妇很是着急。泰山也曾派人去多佛尔询问过大猿的消息,去的人回报说根本没见过大猿的影子。起初琴恩还为儿子失踪的事哭得死去活来,幸而泰山从杰克对付他的老师摩尔先生的过程中,看出杰克的智慧和气力都足以自卫,所以百般安慰妻子,让她放心,杰克一定还在世上。但是,杰克究竟到哪里去了?对泰山夫妇来说,仍是一个无法放得下的心事。

在鲍勒维奇死后的第二天,有一个十几岁的男孩,陪着他的"老祖母"出现在多佛尔的码头上。他们好像对一条开往非洲的船只十分熟悉,指明要乘这条船去非洲某地。那位"老太太"蒙着重重的面纱,身材高大,坐一辆病人轮椅。孩子说祖母患了重病,十分虚弱,怕受风吹。那孩子非常老练,也显得很孝顺。他亲自把病人的轮椅推到轮船的舱房里去,从此以后,老太太再没有在船上露过面,一直到船到达他们的目的地上岸为止。船舱内的一切杂务都由那孩子亲自料理。他对船上的管事说,他的祖母年迈体弱,怕见生人,所以不必派侍者来服侍。船上的管事当然听他的吩咐。这样一来,在整个行船过程中,他们祖孙俩好像住在疗养院里一样,无人打扰,十分清静。

整条船上没有人知道他们在船舱里干什么。那小孩身体很好，又生得聪明活泼，伶俐乖巧，再加上他衣着阔绰，言谈举止有成人风度，一看就知道是个有家庭教养的孩子。所以，许多员工水手都非常喜欢他。在船上，他交了不少新朋友。

只是乘客中各种各样的人都有，有一个叫康登的美国流浪汉，因为多次犯罪，有五六个城市的警方都在通缉他。在美国无法存身，所以他从美国跑到英国，再转船到非洲去。孩子藏在衣袋里的一大卷钞票无意间被康登的两只贼眼看到了，对此，他焉能不垂涎三尺？他想法打听到，与孩子同行的只有一位年老多病的祖母。他们是到非洲赤道西海岸一个小居留地去的。他们姓比令，在非洲那边似乎也没有什么朋友。康登探得了这些底细后，心里暗暗欢喜，总在找机会，想把孩子的钱弄到手。康登是个玩牌的能手，多次想拉那孩子入局，但是那孩子非常规矩，康登的拉拢都被他拒绝。康登虽然失望，但并不死心，不停地盘算着该用什么方法才能既不触犯法律，又把这笔钱弄到手。他自己也知道如果他再犯法，就有数案并罚的可能了。正因为有这种顾虑，他一路上始终没找到机会下手。

没过几天，船到了终点，前面是绿荫匝地的海岸，岸边零零落落点缀着二十几处铁板盖的房屋。孩子猛然觉得眼前这一片自然风光，是伦敦那个繁华都市远远比不上的。不料，这种海阔天空之感才从他心头掠过，父母的音容笑貌又浮现在他眼前，使他不由得泛起了浓厚的思乡之情，很想一步就能跨回家去。这时一个船员正在指挥土人的小船到船边来卸货。孩子就问那船员："现在有没有一条船从这里开回英国去？"

船员答道："有一艘'伊曼纽尔'号，按规定时间现在该到了，也许正停在港里呢！"

船员还有其他工作，说完就匆匆走了。

孩子也雇了一只小船准备上岸，他找人先用吊索把"祖母"和轮椅放入小船，又恐怕有失，自己也搭手帮忙，等到"祖母"的轮椅安置好了，他自己才跳下小船去。他在照顾"祖母"时，衣袋里的一卷钞票竟落到水中去了。忙忙乱乱中，他自己没有察觉，别人也没有发现。

康登见他们祖孙二人雇船上岸，他为了躲过别人的注意，有意从大船的另一侧也急忙雇了一只小船，搬好自己的行李，尾随其后。上了岸，他唯恐引人注意，对旅馆招揽顾客的人一概谢绝，只远远地眺望着这祖孙二人住进了哪家旅馆。又为了防范别人的警觉，他在街上直游荡到天黑，才住进了这家旅馆。

孩子住在二层楼的一间房里。安顿好了以后，他马上向"祖母"说明，假如有船开回英国，他想马上回去，而让"祖母"留在非洲。这次他是私自出来的，没有告诉父母，他们一定会为他的失踪而着急，所以他要早些回去。"祖母"似乎费了好一阵工夫，才终于弄明白了他的意思。

一切办妥，孩子心里十分高兴，无忧无虑地跳上床去，以为第二天就可以搭船回家了。由于一路的疲劳，一上床他就安然进入了梦乡。

那美国流浪汉康登一直留意着孩子房里的动静。到了夜深人静的时候，他蹑手蹑脚走到门前，先站住侧耳静听了一会儿，听见里面有两个人均匀的呼吸声，就拿出一串万能钥匙插入锁孔。他平素是干惯了这勾当的,无论什么锁,经他的钥匙一拨,没有打不开的。他开了锁轻轻地溜了进去,随手关上了房门。那晚浮云掩月,屋里非常黑。他慢慢地向床边爬去,一心只注意床上祖孙两个,却没有注意到在房间的一角,正有一个庞然大物向他爬来。

康登心里暗喜,以为一大笔钱轻易就可以到手了。他爬到床前的椅子边,摸到一件孩子的衣服,提过来一摸,衣袋里并没有什么东西。他猜想孩子可能把钱放在另外的什么地方了,按他多次偷盗的经验推测,旅客睡觉多半把钱放在枕头底下。这时,浮云已经退去,银亮的月光照进房里来,一切都看得很清楚了。那孩子突然惊醒,看见一个陌生人站在床前;同时康登也看清了,床上只有孩子一人。于是康登抢前一步,不想让孩子喊出声,就卡住他的咽喉。哪知那孩子并没有被吓住,一骨碌爬了起来。就在这时,康登听见身后发出低低的咆哮声,顿时吃了一惊。同时,他感到孩子有很强的手劲,小小的手指像钢条一样抓住了他的两手,使他动弹不得。这时,康登忽然觉得有两只毛茸茸的大手从背后搭在了自己肩上,回头一看,简直吓得他魂飞魄散。只见一只高大的大猿,直立在他身后。大猿见他回过身来,就张开血盆大口,用利齿咬住他的肩膀。孩子只抓住他的手一声也不出。康登迅速环顾全室,却不见祖母在哪里。他开始恐惧起来,悔不该太莽撞。他脑子里迅速地转着主意,想着如何挣脱。大猿因他没伤着孩子,所以也没想把他咬死。这时,康登趁孩子不备,挣脱了一只手,猛地向孩子劈面一掌。孩子没有防备,竟被打得向床边倒了下去。这一下激怒了大猿,它低低咆哮了一声,只一扭就把康登拖翻在地,向他咽喉一口咬死了他。原来那孩子就是杰克,他的"祖母"就是阿库特乔装的。

杰克跳到康登身边,发现他已断了气。杰克知道大猿杀死小偷,是为了保护自己,就像它杀萨布罗夫一样。但是,这一次在荒僻的非洲,父母不在身边,既没有亲戚,也没有朋友,有谁替自己辩解呢?杀人者是要判罪的,这是多数国家的法律,大猿固然难逃法网,自己纵兽杀人,似也难逃罪责。在这人地两生的地方,谁能替他们说明杀人是出于自卫,自己是无辜的呢?况且,目前处在这半开化的地方,不见得会有什么完备的法律,到了明天早晨,他和大猿说不定会被双双吊死在树上。这种酷刑在美洲都难免发生,何况在野蛮的非洲呢?杰克想来想去,感到了前途的危险,但现在求助无门,只有自己想办法了。他到底秉承了父亲的智慧和勇敢,定了定神,忽然想到,在父母生活的那个文明社会里,父亲常说"钱可通神",在这里说不定钱也可以解救他和大猿。于是他立刻伸手到衣袋里去摸,哪知衣袋竟是空的!他急急忙忙把所有衣袋都摸遍了,还是一点踪影也没有。他拖开床铺,把地上所有的角落都找了,仍旧不见。他思考了一会儿,想到陌生人一定是来偷钱的,会不会是在他身上呢?于是杰克开了灯,在死人身上翻了一遍,仍旧没有,又鼓起勇气把尸体翻转过来,看看地上也是空的。这下杰克可真急得不知所措了。

杰克还从没有经历过这样的事,虽然他有泰山性格的遗传,也是在泰山的教诲下长大的。虽然他平时很勇敢、机智,但他毕竟是小孩,遇到这样的困境,也不免心里十分慌张。现在已是半夜,原来还想用钱买通,现在却一文不名,真弄得他六神无主了。

他望着尸体直发呆，后来索性将死人的衣服全都剥光，但还是找不到他丢失的钱钞。这会儿，那大猿却蹲在角落里呆呆地望着他，一副若无其事的样子。

他的钱是什么时候丢的？他苦思良久，还是想不起来。后来，他觉得绝不能留在这里束手待毙，只有三十六计——走为上策了。想到这里，他也顾不得什么行李，只穿了一身睡衣，走到大猿的面前用猿语招呼它说："来！"就带着大猿走到窗前，打开窗子一望，只见窗前不远有一棵大树。杰克一下跳过窗台，纵身到了树上。大猿一看，也跟了上去。二百码以外，就是一带丛林，这两个"亡命者"径直奔到森林里去了。从此，我们这位未来的克莱顿爵士，就这样做了蛮荒里的逃亡客了。

第二天早上，旅馆里的一个土著侍者见比令夫人祖孙两个很晚了还没有起床，只好去叫门了。侍者叫了很久却没有人应声，便取了钥匙去开门，哪知里面已有一把钥匙塞在锁孔里，他只好立刻报告旅馆主人。旅馆主人斯考夫先生是德国人，他听说之后急忙赶过来看情况。他连敲门带喊叫，里面仍然没有声音，于是俯下身去，想找一个能窥望室内的缝隙。手才撑在地上，就觉得有一片黏乎乎的东西沾在手上，举起手来一看，竟是血！这下他知道出了事，赶快用肩去撞门。斯考夫生得高大，身强力壮，几下就把门撞开了。

斯考夫察看房里，发现室内非常零乱，床也挪过了，椅背上还有老太太的衣服和孩子的外衣，地下躺着一具尸体。辨认面目，不是祖孙两个中的任何一个，却是前楼的单身客人。颈上有野兽咬过的齿痕，衣裤鞋袜都脱在一边，赤裸裸地躺着。老太太和她的孙儿都已失踪。窗户开着,房门却是从里面锁着的。斯考夫怎么也想不通,一个年幼的孩子,怎能背着一个身体笨重的祖母,从二层楼的窗口跳到地面上去呢?斯考夫又继续在房里检查,床被拖开,床下也没有什么痕迹。斯考夫还记得,昨天,比令太太来的时候是几个人抬着轮椅上楼的。她戴着面纱,病得不能走动。那孩子的面貌倒非常清秀。现在衣服还在屋里,人却不见了。难道说孩子只穿着睡衣,而老太太是光着身子逃走的?斯考夫百思不得其解。问侍者,他们也只是说:昨天祖孙两人订了这楼上的房间以后,连晚饭也是在房内吃的,此后没看见他们再出去。到今天上午九点多钟,撞开房门以后,却是两个活人换了一个死人!谁也说不清这是怎么回事。

　　旅馆主人立即派人到外面去打听。两个人失踪的那天,并没有轮船出港。在附近几百里之内,没有铁路,距此地最近的白人居住地至少也有几天的路程。如果没有人作向导,任何生人也找不到那里去。于是斯考夫只好吩咐几个土人,再到附近去找找,可是后来都回来报告说,不但没有人影,连足迹都没有。斯考夫想来想去,对这件疑难的凶案还真有点后怕起来。

五
上校的女儿

　　法国骑兵上校阿尔芒·雅可用覆盖马背用的毯子垫着,坐在一株棕榈树下。他那强壮宽阔的肩膀和留着匀称短发的头懒懒地靠在树上,一双长腿直伸到毯子外面,靴跟上的马刺深深地陷在沙土地中。是的,他疲倦了,他在沙漠上整整奔波了一天,现在总算完成了任务,可以休息一会儿了。他悠然地抽着一根卷烟,看着他的兵士们准备晚饭。雅可上校此时颇有几分惬意,因为任务完成得很顺利。他率领的兵士们也已散开,在他右边不远处,那些皮肤黝黑的年轻战士,虽然也和上校一样,奔波劳碌了一整天,却不像上校那样疲倦,还在谈谈笑笑、欢蹦乱跳地准备晚餐。看着这群体魄健壮、活泼开朗的部下,一丝满意的微笑浮上了上校的嘴角。在这群兵士的另一边,却有五个穿白长袍的阿拉伯人被捆绑着,还有重兵在监守着他们。

　　雅可上校此时情绪很好,他这次总算不辱使命。原来他带了部下巡察,有当地的土著到他大本营来报告,说有一大队土匪在沙漠中横行,为非作歹,抢走了各部落很多骆驼和其他家畜,还杀人放火,无恶不作,请求上校搜剿。上校闻报后,就带了兵士在沙漠中各处搜寻,由于沙漠太广阔了,始终也没发现匪徒的影子。过了一个星期,才面对面地和匪徒相遇了。在作战中,上校一方只牺牲了两个士兵,但匪徒一方有五人被擒,六人逃走,其他的都被消灭了。这五个俘虏中,匪首阿希米特·本·霍定也在其内。

匪徒已被剿灭,雅可上校明天就可以凯旋了。他想着明天下午就可到家,他的妻子和小女儿一定早在门口等着,尤其是他钟爱的独生女儿若娜,生得和上校夫人一样美丽。这次久别重逢,她们母女俩一定会跑上来和他亲吻。自己长满了短须的两颊,明天又要和她们柔嫩平滑的脸贴在一起了,想到这里,他心里有无限的喜悦。越是临近归期,越是思归,上校这时的心,总是情不自禁地在想着他美满的家庭。

他正在出神地沉思,忽然听见一个哨兵在高声喊叫着什么。雅可上校收回遐思,抬头一看,太阳还没完全落山,在金黄的沙漠上,树林和人马的影子越拉越长,这说明用不了多久,就要暮色苍茫了。哨兵不会无故呼喊,雅可上校明白一定有什么异常情况发生了,他立刻站了起来,和几个小队长顺着哨兵所指的东面看去。雅可上校是不大相信别人的视力的,因为他能从很远的地方看见别人看不见的东西,所以在军队中大家送了他一个绰号,叫"鹰眼"。现在他看见在东边的地平线上,有十几个黑点,时起时落,而且越来越大,这说明有十几个骑士正向这里奔来。他立刻吩咐了十二个兵士,迎着他们向沙漠中冲去,其他的兵士除了看守阿拉伯人的之外,也都整装待命。雅可担心这些骑士是匪徒的余党,想乘机来劫救他们的首领。他们此时明目张胆地来,大概想趁天快黑时下手,然后连夜逃走。这些伎俩能瞒过别人,却瞒不过"鹰眼"上校雅可。

雅可上校眼睛不眨地向东方看着,见他的兵士在二百米之外已和来骑接近了。雅可看见派去的小队长和一个穿白袍的似乎是为首的人在说着什么。一会儿,那小队长吩咐那十一个兵士监视来骑,自己同那为首的向这边走来。到了雅可上校面前,各自下马,那小队长上前报告:"酋长艾莫尔·本·哈吐尔求见。"

雅可上校把来人上下打量了一番,雅可长期出入沙漠,附近几百里内外的阿拉伯酋长差不多都认识,可是这个哈吐尔酋长却从来没见过。只见这哈吐尔酋长身材高大,面貌黧黑,看上去似已有六十多岁,眼里闪着凶光。雅可上校看着他,心里有几分不快,问道:"你有什么事?"

哈吐尔酋长立刻走上前一步,指着捆绑俘虏的地方说:"霍定是我的外甥,如果上校能把他交给我,我可以对他严加管束,使他以后绝不再破坏法国的法律。"

雅可上校摇摇头,坚定地回答:"这不可能!我一定要带他回大营去,正式由军事法庭审判。如果他被指控的事是没有证据的,我们就会放了他。"

哈吐尔以锐利的目光直盯着雅可上校说:"如果证据确凿,你们要把他怎么样?"

雅可上校威严地回答:"他多次杀人,犯有命案,无论其中的哪一件,只要有了确凿证据,都应该判处死刑。"

哈吐尔在谈话时一只手放在怀里,这时从怀里掏出一个很大的羊皮钱袋,里面鼓鼓的似乎装了很多钱。他打开钱袋的口,稍微向右手一倾,右手掌心里已倒满了钱,全部是法国金币,足抵一个中产之家的财产。哈吐尔默不作声,慢吞吞地把金币一个一个地装回袋里,仍把袋口收紧。雅可上校看着他捣鬼,也不作声。那个小队长报告之后,早已退了出去,背向着他们,远远地站着。哈吐尔把重重的钱袋托在手里,走到上校跟前,轻声说:"霍定是我的外甥,他是不是能在今晚脱逃?"

雅可上校见他公然无耻地行贿,气得脸都变了颜色,举起手来,想狠狠给他一拳,但马上又克制住自己。他叫小队长过来,吩咐他说:"把这个黑色野蛮人押到和他同来的人那儿去,把他们统统赶走!让他们远远离开这里。再告诉他们,今晚若有人来这里抢劫俘房,格杀勿论!"

酋长哈吐尔面对着这个忠于职守、不为金钱所动的硬汉,又惊又气,挺直了身子,瞪着凶光外露的眼睛,举着装满金币的钱袋,向雅可上校恶狠狠地威胁说:"嘿!你敢杀我外甥,还敢当面侮辱我!告诉你!我哈吐尔也不是好惹的,你胆敢让我姐姐有失子之痛,我对你也不会轻饶,小心我从你的家人身上下手。我一定会报复的,你等着吧!"

雅可上校怒冲冲地喝道:"赶快滚开!不然我要踢你出去了!"

这里所叙述的关于上校的事,还是在前面几章所叙各事的三年前发生的。审判霍定的结果,罪证确凿,照例宣判了死刑。霍定倒也不是贪生怕死之徒,临死时神色不变,视死如归。这件事之后,不上一个月,雅可七岁的女儿若娜却莫名其妙地失踪了。她的父母悬重赏多方寻找,政府方面也帮他寻觅,可都如石沉大海,音信杳然。俗话说"重赏之下必有勇夫",不少侦查人员自告奋勇来破此案,为此丧命的已有好几个了,但始终没有任何线索，小姑娘好像被沙漠吃掉了一样。

有两个瑞典人，一个叫卡尔·詹森，另一个叫赛文·马尔宾，这两人都贪这笔重赏，特地赶来，想破此案。他们在撒哈拉大沙漠以南苦苦寻找了三年，后来觉得实在没有希望了，只好丢下这个案件，去干偷象牙的勾当了。偷象牙虽然冒险，却有厚利可图，他们因此声名狼藉，残酷贪婪的恶名无人不知，撒哈拉南北一带的土人对他们无不痛恨。就连从前曾雇用他们的政府，得知他们在非洲横行不法，也要追捕他们回去判罪。他们因为在沙漠中混得久了，对路径十分熟悉，甚至胜过当地的土著，不但政府的军队捉不到他们，就是生长在当地的土著也奈何不得他们，有时还不免受他们的侵扰。土著们只知道他们的老巢在撒哈拉以北，却总也找不到具体的地方。他们每次抢到了象牙，总是往北跑。两名匪徒手下已经有了一百多个党羽，其中有土人，也有阿拉伯人，都是贪婪凶残的亡命之徒。除了偷象牙之外，这群人自己也会猎象。詹森和马尔宾都长着黄色的胡须，他们俩这个特点是非常显眼的。

我们暂且放下詹森和马尔宾的事，来说说另外一个与此有关的故事。在赤道附近的丛林中，有一个小小的村落，丛林旁边有一条大河，绿水滔滔，流入大西洋。河道很宽，从没有人溯源探险，因此，这个小小的村落也从没有被人发现过。这里有二十几座用棕榈叶盖顶的茅舍，是土人住的。村落中央还有五六个羊皮帐篷，是二十多个阿拉伯人的住处。这些阿拉伯人以劫掠其他部落为业，把抢来的东西每年两次地运往马里的通布图去销售。

一天，在阿拉伯人的帐篷前，出现了一个独自玩耍着的小姑娘,人们听到这帐篷里的人喊她梅林。她长着一头漆黑的头发,一双又黑又亮的眸子,脸上的皮肤是深棕色的,一眼就可看出她是在沙漠中长大的。她的小手里抱着一个玩具娃娃,她亲手编了一个草裙,穿在玩偶身上。这个玩偶做得很粗糙,容貌丑陋。这还是一两年之前,一个慈祥的黑人送给她玩的。玩偶的头是用象牙的下脚料做的,眼、鼻不过略有轮廓,身体是用老鼠皮做的,中间塞着干草,手和脚是木雕的,用粗线连在身上。这玩偶虽然简陋难看,但梅林却视如珍宝。在她的小天地里,这是最美的东西了。倒不是因为她审美水平太低,而是因为她实在觉得,只有这个不会说话的玩偶能分享她的忧和喜,她在它身上可以寄托自己的感情。她给玩偶娃娃取了个名字,叫基卡。

帐篷里的人对梅林,有的不理睬,有的还要虐待她。有一个专门负责看管她的老黑奴,名叫玛布奴,牙齿都掉光了,身上非常脏。她生性残酷,不放过任何一个打骂梅林的机会,有时甚至用烧红的煤块去烫梅林。这里的酋长就是梅林的父亲,梅林最怕见到他,比见到玛布奴还要害怕,因为酋长常无缘无故地责骂她,稍不如意,就是一顿鞭子,打得她全身青一块紫一块,简直体无完肤。

在这种恐惧加痛苦的生活里,梅林只有自己给自己找些快乐。有时她抱着基卡玩,用花草给基卡编些新衣服;有时也采些野花,插在自己头发上。她面前没有别人的时候,她就一边哼着歌儿,一边做自己喜欢做的事。只要酋长一走近她,她脸上的笑容马上会消失,不知什么灾祸又会降临到自己头上。她小小的心灵里有许多恐惧:她怕白天丛林里野兽的吼声,也怕猛禽的鸣叫声,更怕夜晚帐篷外野兽的足音,但她最最害怕的还是酋长。有时她甚至想,与其在父亲的皮鞭抽打下过永无尽头的苟活的日子,还不如逃到丛林中去,即使被野兽吃掉,倒也永远不再痛苦了。

有一天,她正坐在酋长的羊皮帐篷前,给基卡穿草衣,听见脚步声,抬头看见酋长走过来,恶狠狠地瞪着她。她连忙躲到一旁去,怕妨碍酋长出入,又要受到斥责。尽管她努力学着懂事、乖巧,但仍是逃不开打骂。这次酋长抬起脚来,把她踢出很远,可怜她吓得一声也不敢出,怕惹来更重的惩罚。酋长又骂了一声,拐进帐篷里去了。玛布奴却认为这一幕很有趣,张着她那掉光了牙齿的嘴,笑得前仰后合。

梅林见酋长进去了,才爬到帐篷边上的一个僻静角落,把基卡紧紧抱在怀里,低声哭泣,深恐酋长听见了,又赶出来再打她。她的痛哭并不完全是因为身体上的痛楚,实在是因为没有人怜爱她的缘故。她虽然年幼,但也懂得父亲如此待她,无论如何是没有道理的。

梅林哭累了,渐渐睡去。她做了一个梦,梦见母亲慈爱的笑容,正要去吻母亲时,忽然惊醒,才知是一场梦。长期感情无处寄托,她把基卡当作唯一的亲人,她的小嘴每天无数次地吻着基卡,也常常把自己的忧伤烦恼低声地向基卡诉说。今天,她受了这场委屈,照例伏在基卡的耳朵上,低声哭诉:"基卡!你爱梅林,为什么父亲不爱我呢?难道我不听话吗?我天天学好,可总得不到他的怜爱,他为什么一定要打我呢?我什么地方得罪了他?方才他踢我、骂我,也只不过因为我在帐篷前替你穿衣服,这也不能算坏事呀!可他把我踢得很疼很疼!他性情为什么这么坏呢?基卡!你知道吗?我过这样的日子,还真不如死了好。昨天,我看见他们打猎回来,带回一头死狮子,它死前被称为兽中之王,但死后就没有知觉了,任人怎样宰割都不觉得。懂了这些,我也愿意死。基卡!我死了,无论是玛布奴的打,还是父亲的打,都用不着害怕了,也都不知道了。啊!基卡!我真希望死!"

梅林正在絮絮哭诉,忽然听得村外起了一阵嘈杂声。她不敢走过去看个究竟,恐怕父亲也在那里,她只能侧耳细听。听见有人向酋长的帐篷走去了,不觉有点好奇,就探出头去窥望。这个村里平时非常寂静,人迹罕至。今天会是什么人来了呢?她看见两个白人走来,还听见村里的人议论说:"这两个白人住在村外,还有很多部下,他们是特地来拜见酋长的。"

酋长得到村人的报告,走出帐篷,看见这两个客人,似乎很不欢迎。两个客人走到酋长面前行了个礼,说明是来买象牙的。梅林听了,感到非常奇怪,因为她知道,茅舍里的象牙堆得高到屋顶,父亲为什么不肯卖呢?她把头又往外探了探,看到那两个人皮肤很白,生着黄色的胡须。他们中的一个人偶然转过头来,正好瞥见梅林,梅林赶快缩回头去。她父亲素来不让她见生人,她自己也很怕见生人,不过那个人已看见了这个小姑娘。梅林看见了他的脸,好像非常惊愕的样子。酋长也看见了这一切,他高声怒斥道:"我根本没有象牙,无法和你们做交易,快走!马上给我走!"

酋长说着,就推推搡搡地要他们赶快走,这两个白人却还想找借口磨蹭一会儿,直到酋长毫不留情地怒吼起来,他们才满面愠色地走了。

酋长回到帐篷边,第一件事就是找梅林。梅林不知自己又惹了什么滔天大祸,早吓得缩成一团。酋长一手抓住她的手臂,像拎小鸡一样拎进了帐篷,扔在地上,接着就是一顿毒打。怒吼道:"你给我待在帐篷里面,下次再给这两个人撞见,看我不活宰了你!"说着,把梅林拖到帐中一个黑暗的角落,又是一顿拳脚相加,打得她死去活来,可梅林却不敢高声喊叫。酋长余怒未息地在帐篷中走来走去,自言自语,不知说些什么,玛布奴却在门口看热闹,只管嘻嘻地傻笑。

且说那个看见了梅林的白人,回到自己的帐篷中,对他的同伴说:"我看见了,一眼就看清楚了,这是确凿无疑的。马尔宾!我真不明白,那个老光棍为什么放弃发财的机会,不去领那笔奖金呢?"

马尔宾说:"詹森!他们阿拉伯人只有两种目的,一种是金钱,一种是报仇。但他们往往把报仇看得比金钱更重。"

詹森说:"也许可以用金钱的魔力再试他一次?"

马尔宾耸了耸肩膀,说:"酋长把报仇看得比金钱重,恐怕用金钱试是没用的。你看,方才酋长已经疑心我们了,假如我们再正面去找他,反而会坏事。我倒有个主意,不如用重金去收买他手下的人,也许能生效。"

詹森说:"好!既然如此,我们就想法去向他的部下行贿!"

行贿的好处果然来了。他们在村外住了几天,静候机会。有一天,他们买通了一个老头目,他是酋长的亲信。那老头目常来往于海岸码头,知道金币的神通,一口答应他们,到夜里一定把他们要的东西送来,保准让他们满意。

　　看看天黑下来,这两个白人就指挥部下,让挑夫们早早装好了担子,等候在那里,随时可以开拔。兵士们轮流在帐外巡逻,预备开拔之后,断后掩护。

　　到了半夜,听到村外大道上起了一阵脚步声,能清楚地听出来脚步声杂沓,不是一两个人。马尔宾非常疑惑,送东西来,背一个袋子就够了,何必这么多人?

　　詹森于是出去问道:"来人是谁?"

　　黑暗中有人回答:"莫必达!"

　　莫必达就是他们买通的老头目的名字。不多一会儿,黑暗中有两个人抬着一张床板走来,詹森和马尔宾很着急,难道他们所买的东西已经死了不成?等到他们抬到面前,其中一个为首的人说:"这就是你们用金钱买的东西!"

　　他们把床板放下,立即掉转身,从黑暗的路上回去了。马尔宾和詹森看那床板上用布盖着,下面似乎躺着一个人。

　　詹森说:"先别高兴,揭开布看看,如果我们花了很多钱,买了一具死尸来,抬到目的地,要有半年的路程,太阳晒着,等我们送到了,不也变成一副白骨了吗?我们还领什么赏?"

　　马尔宾说:"莫必达知道我们要活的,这是说好了的,他怎么敢拿死的来搪塞?我们先看看。"

　　说着,他揭开布单,弯下身去一看,躺在床板上的是莫必达的尸体!这真把马尔宾吓出一身冷汗。

　　詹森和马尔宾知道秘密已被泄露,生怕有人来追击,赶快收拾东西,带领部下抱头鼠窜,向远方逃跑了。

六
丛林生活

杰克在丛林里过的第一个夜晚，一切都很新鲜，所以给他留下了十分深刻的印象。这一夜，既没有野兽的侵扰，也没有发生什么恐怖的事。他只是挂念着父母，怕他们因为找不到儿子而焦急。他对于康登的死并不感到内疚，本来就是那个小偷自作自受。杰克怨恨康登的是，他的突然出现，完全打乱了他原来的计划，使他不能够回家去了。同时，他心里对法律还有着恐惧，怕把他抓回去治罪，因而牵连到父母。因此，尽管他非常想家，但他觉得他已不能回去了。他宁愿亡命在这里，也不能让几百年的贵族名声受到玷污。

睡了一夜，第二天早晨醒来，太阳已经升高，杰克心里又产生了新的希望，他打算另找口岸，通往文明的国度去。也许仗着自己年龄幼小，别人不会怀疑他是个杀人凶手。

杰克和阿库特是在树上睡的。他觉得在丛林中过夜实在太冷了，只有紧紧靠在大猿身上，才暖和一些。他看见太阳升起，阳光灿烂，心里非常高兴，便摇醒阿库特，指着前面平原上的矮树和巨石，说："我觉得又冷又饿，我们到那边去找些食物，也去晒晒太阳吧！"

杰克说着,先跳下树来。阿库特却很谨慎,先嗅了嗅早晨的空气,又向四周仔细观望了一下,确定没有危险之后,才慢慢跳下来,站在杰克身边。

这时,阿库特教给杰克丛林中生存常识的第一课:"公狮和伴侣母狮,专爱吃先下树而后察看四周情况的动物。如果要在丛林中求安全,必须在树上把四下里远远近近都看好了再下来。"

阿库特教完了这简易的第一课,就伴着杰克到平原上去了。在那里,他又教杰克觅食的方法。阿库特找了不少野鼠和昆虫,杰克见了害怕,不敢入口。阿库特又替他找了些野鸟蛋来,杰克就照阿库特的方法生吃。看到杰克还没吃饱,阿库特又去挖了些植物的块茎,让杰克吃饱。然后翻过一道山岭,有一个水潭,水很浑浊,还有一股不好闻的味道。潭边的路上,有许多野兽来喝水的足迹。这时,正有一群斑马在那儿饮水,见他们走近,都吓得逃跑了。

杰克此时已很渴,也就顾不得潭水脏不脏,俯下头去,痛饮了一番。阿库特抬着头站在他旁边,替他望风。等他喝完,自己才去饮水,还嘱咐杰克也要用心瞭望。阿库特喝水时,常抬起头来,瞭望水潭对面百米之外的丛莽。它喝完了水,上来问杰克:"附近有没有危险?"

杰克说:"你喝水的时候,我什么也没看见。"

阿库特说:"在丛林中生活,专凭眼睛看是不够的,如果你想生存下去,还必须练习听觉和嗅觉,其中嗅觉是很重要的。当我们下来的时候,我早已看到斑马了。那时候我没有嗅到有其他猛兽,认为没有危险,才带你到这儿来的,可是斑马早闻到我们的

那边繁茂的草丛里,正潜伏着一头公狮。

味儿了,所以溜跑了。后来我想了想,我们是在它们上风向,那么,我们的下风向有没有危险呢?这光靠嗅觉就不行了。因此,我在喝水的时候,要用视觉和听觉不断侦察着下风方向。"

杰克大笑着问:"那你一定侦察不到什么吧?"

阿库特指了指前面说:"我嗅到那边繁茂的草丛里,正潜伏着一头公狮。"

杰克害怕起来,问道:"是狮子吗?你怎么知道呢?我为什么没有看见任何迹象?"

阿库特说:"你虽然看不见它,但公狮确实在那里,我早已听到它的声音了。公狮伏在草中不动时,声音非常微小,在你听来,简直像风吹草动一样,等到你听惯了,就能分辨出来了。你一定要学会。来!你从这边望过去,不是能看见一丛草尖向两边摇动吗?假如是风吹草动,草只会往一边倒。你看!现在草却不是往一边倒,这一定是公狮伏在草中呼吸,不然,草尖无论如何不会左右摇动,而且还摇动得这样有规律。你留神细看,这就是公狮藏在草丛里的迹象。"

杰克的目力得到他父亲泰山的遗传,本来就比普通的孩子强,他仔细观察了一下,终于发觉了,说:"不错,我看见了。它隐伏在那里。它的头正对着我们呢!它是不是在守候我们?"

阿库特说:"不错,它是在守候我们,只要我们不走到它的附近去,我看至于有危险。现在那狮子已吃饱了,因为我们听不见它嚼骨头的声音。然而它还是在看着我们,大概是有些疑心。再过一会儿,我估计它会到潭边来饮水。它既不怕我们,也没有要伤害我们的样子,我们就不用躲藏了。现在正是你了解公狮习性的一个好机会,你一定要全心全意,眼耳鼻并用,如果你要想在丛林中生活下去,就必须时时刻刻这样做,一会儿也不能放松。要知道,狮子单独行动的时候,也不大敢来攻击我们,只有饿极了,它才会拼命冒险。我们再稍稍走近一点,让你熟悉一下它的气味,以后牢牢记住这种气味。但你一定要注意,要靠近树走,不然,等它突然冲过来,你就没地方躲避了。在丛林中,随处都布满危险。你不要只注意了公狮,忽略了母狮,它们常在距离不远的地方。现在跟我来!"

阿库特领着杰克,沿着水潭绕了一个大弯,向前走去。杰克紧跟在阿库特后面,处处小心,他觉得森林中饶有趣味,这才是他渴望已久的生活。此刻,他把回伦敦的念头完全丢在一边了,只觉得丛林生活愉快,可学的东西很多,比他在书本上读的有趣多了。泰山虽然没有教过他怎样同自然界和动物搏斗,可是他的血脉中有泰山的遗传,一点也不胆怯,反而觉得一个人能在这样危险的环境中求生存,才不愧是个男子汉大丈夫。

他们走了一阵,已经到了公狮后面,杰克才闻到了一阵气息,他知道这就是狮子的味儿了。他脸上露出笑容,他已记住这种气味了,以后即使阿库特不告诉他,他也能知道近处有狮子。就在这时,不知不觉,他身上发生了剧变:他感到浑身的肌肉怒胀了起来,嘴也大大地张开,露出了牙齿,似乎在抵抗强敌。非常奇怪,一头公狮的气味,居然把杰克身上潜藏着的兽性引发出来了。

杰克在家时,因为母亲禁止他到动物园去,所以从未见过狮子,只在画片上或书的插图上看见过,直到现在,他才有机会从这么近的地方亲眼目睹这兽中之王,他心中无限喜悦。他虽然在跟着阿库特往前走,却不断回头向后看,希望公狮站起来走几步,好让他看得更清楚些。这样一来,他和阿库特就拉开了一段距离,落在阿库特后面了。忽然他听到阿库特在前面惊叫似的长啸了一声,好像在提醒他有危险。他很快转过头来,只见前面的大道上站着一头很美丽的母狮,它的后半身还藏在树丛中,一双黄而发绿的圆眼正在注视着杰克。杰克和母狮相距大约十步,阿库特离杰克却足有二十多步。阿库特恐怕狮子伤着杰克,拼命叱骂母狮,叫它赶快走开,并让杰克赶快躲到树上去。

母狮并不理睬阿库特,它的目光紧盯着杰克,杰克夹在母狮和雄狮之间,母狮疑心他要妨碍自己的道路,加上阿库特对它的叱骂,它暴怒起来了,低低地怒吼了一声,向前跑来,直扑杰克。

阿库特急得大叫:"快上树去!"杰克转身就跑,母狮怒极了,风驰电掣地追过来。幸而没几步路就有一棵树,杰克平时就善于爬树,这时就更快地爬上去了。离地约十尺的高度有一根坚固的横枝,母狮跳过来的时候,杰克早已跳上了横枝。母狮的动作也够快,一只巨爪抓住了杰克的裤带,裤带牢牢地和睡裤连在一起,杰克用力一挣,一条睡裤完全给母狮抓去了。等到母狮第二次向上跳的时候,杰克已裸着下半身,安全地跳到树上的更高处去了。阿库特也攀上了旁边的树,向母狮乱骂,杰克也学着骂。他还用手折断树枝,向母狮投掷,正好跟他父亲二十年前做的一样。母狮在树下转了几圈,发出怒吼,它因为没逮到猎物,非常生气,就回到公狮隐伏的草丛中去了。虽然这边闹得十分厉害,却始终没见公狮出来。

阿库特和杰克看一场惊险已经过去,又回到地上来,继续向前走。一路上,那大猿把杰克狠狠训斥了一顿,叮嘱他今后再不可如此大意。

它说:"如果你不回头去看公狮,你早就发现前面有母狮了,这有多危险!这次算侥幸,以后可要记住这次教训了!"

杰克反问说:"你从它身边经过,不是也没有看见它吗?"

阿库特惊顾四周说:"正因为这样,我的同类也常遭伤害。我们必须时时小心,稍大意一点就有送命的可能。"

阿库特稍停了停又说:"必须记住,眼睛、耳朵、鼻子要一齐用,而且不能只注意一个地方。"

那夜杰克觉得更冷,因为他的睡裤被母狮抓去了。睡裤虽然很单薄,然而有一层布毕竟比没有好。

到了第二天,又继续他们的旅程,走过一处没有树木的大平原,晒着太阳,比较暖和。这时杰克心里还想到南边去,找一个小口岸,觅船返国。这个想法他没有马上告诉阿库特,怕它知道了会不高兴。

一人一猿整整走了一个月,杰克在这一个月中学习了很多丛林生存的必要知识,筋骨也锻炼得强壮了。他毕竟是泰山之子,丛林中所需要的技能,在这短短的期间里差不多都学会了。由于他身体轻,有时跳跃腾挪甚至比阿库特都敏捷。

有一天,他们走过一条河,那里水很干净,清澈见底,知道没有鳄鱼,他和阿库特就都下去洗澡。这时正有一只猴子蹲在树上,见杰克把上身睡衣脱了,放在岸上,就跳下树来,把衣服抢走了。起初杰克非常生气,想去追赶,但转念一想,不穿裤子已经好久了,单穿这件睡衣也暖不到哪里去,索性不穿衣服,反而自由自在,在树枝间跳跃的时候,倒不必怕牵挂攀扯的了。如果现在被他的同学看见,他们到底会笑他是个野孩子呢,还是羡慕他的自由?然而,同学们也自有他们的乐趣,住在伦敦的家里,吃的用的,又方便又丰富,还有爸爸妈妈的爱护……杰克想到这里,一缕怀乡思亲之情不觉油然而生,心情又不禁黯然起来。杰克只催着阿库特向西海岸走,大猿只以为他要找他的同类,杰克也没有把自己心里的想法告诉阿库特,他打算走到有可能去文明社会的地方,再向阿库特说。

有一天,他们沿着河走,走近了一个蛮族的村落。有一群黑皮肤的小孩在河边玩耍,杰克已有许久不见人类了,这下乐得跳了起来。虽然小孩们都是赤身裸体的蛮族,皮肤也漆黑,与自己不同,但到底是人类。杰克走过了这么长的蛮荒地带,这还是第一次见到人类,他高兴得就像见到兄弟姐妹一样,立刻就往他们群里跑。阿库特怕他惹祸,伸手把他拖了回来。杰克哪里肯听,笑着叫着奔向孩子们玩的地方去了。

杰克的喊声惊动了那些孩子,他们抬头一看,首先看到了阿库特,吓坏了,反身就往村里跑。跑进村去,一头扎进母亲怀里,又哭又闹,妈妈们抬头见了这巨大的大猿,也惊叫起来。这一片哭叫声惊动了整个蛮村,于是有二十多个黑武士握着长矛冲了出来。

杰克看到武士们气势汹汹地冲杀过来,知道惹祸了,马上收住了笑容。阿库特在后面叫他回去,但杰克站着不动。看着那些武士走近了,他举起一只手,手臂向前伸直,手掌直立,手心向着武士，示意让他们止步。他用英语说明自己是他们的朋友，来此并没有恶意，只是想和这里的小朋友玩一会儿。武士们当然听不懂他的话，他们憎恶这个白色怪物无故从丛林里窜出来，扰乱了他们的平静，吓着了他们的妻儿。于是他们举起标枪远远掷来，但没有一枪命中。杰克被激怒了，也现出了野兽的姿态，眼里燃着愤怒的火焰，咆哮着回到丛林里去，阿库特已在丛林里等他了。阿库特知道赤手空拳是抵挡不了一群黑武士的，急催杰克上树。

杰克退进丛林，并没马上上树。本来一见孩子，他抱着无限希望，无限欢乐，以为见了人类，自己就有朋友了。哪知连一句话也没说通，反遭袭击，他非常生气，任凭阿库特怎样催促，他也不上树。他一心要和这群不通情理的黑人决个胜负。虽然他知道自己赤手空拳，除了一双手和一副牙齿，没有别的武器，不过，他和阿库特不同的是，他会用智慧。

他慢慢走到林边，用一株大树挡住身体，眼睛注意着对方，同时也留意着林中各方面的危险，这是那次母狮给他的教训。他侧耳听着，远处还能听到黑人的呐喊。杰克找了一个隐蔽处，轻轻地上了树，跟在黑人后面。下面的人没有看到他，因为他们不会注意到树上有人。杰克留心着不弄出声音来，暗暗跟着他们走，在树上大约跟了一里多路。黑人们见追不着目标，就收兵回村了。杰克却没因此罢休，他在寻找着机会。

阿库特因为离得远，也没看见杰克，以为杰克还在自己后面，他没再向村落方向看，就一直往丛林里去了。杰克在树上格外小心，轻手轻脚地跟着他们。黑武士们急于回村，走得很快，渐渐地,有一个体力较差的黑人落后了,他似乎很累了,越走越慢。杰克知道机会来了,加紧脚步,仍不出声地追着这个黑人,黑人却一直毫无察觉。等到快追到他头顶上的时候,杰克极敏捷地跳下来,正好落在黑武士的肩上,他迅速用双手卡住黑武士的脖子。黑武士来不及抵抗,当时就被杰克用身体压倒在地。杰克双膝抵住他的背,让他动弹不得,双手在他的脖子上又用力加紧地卡,同时用自己的白牙齿咬住黑人的后颈。这时那黑人已经有些昏迷,只剩手脚乱动、挣扎的份儿了。后来他连挣扎的气力也渐渐弱下去,终于死在杰克手下了。

这是杰克第一次战胜一个敌人,夺得了他的武器。

七
谁才是朋友？

阿库特走了一阵，发觉杰克没在自己后面，于是又从原路返回来找他。没走多远，就看见树上有一个人向自己走来，定睛一看，果然是杰克。可是，这时的杰克变得让他不敢认了，他手里拿着长矛，背着椭圆形的盾牌，手臂和脚踝处套着铜环和铁环，腰里束着豹皮围裙，挂着猎刀，简直和黑武士一样了。杰克看见阿库特，急奔过来，把得来的战利品一件件拿给阿库特看，还把杀死黑武士的经过像说故事一样说给阿库特听。最后他说：

"我只是用手和牙齿杀了他。起初，我只想和他们做个朋友，谁知他们那样无缘无故地仇视我，才把我惹恼了。现在我有了这支长矛，连狮子也可以抵挡一阵了。我这次才明白，原来只有白人和大猿才是我的朋友，其他的，全不可能成为我的朋友。对待他们只有两个方法，要么避开，要么就杀死他们。这个认识，我是从丛林生活中得到的。"

之后他们仍向海岸走去。杰克用劫来的武器沿途练习，只要一找到目标，就举起长矛投掷过去。由于练习频繁，技术渐渐纯熟了，到后来，几乎能做到百发百中。不久，杰克的眼光也练得敏锐起来，丛林中野兽的足迹，已能分辨得出了。启蒙老师当然要算阿库特,但杰克自己也十分认真地学习,同时,这也与他接受过文明社会的文化训练有关。无论是什么野兽的足迹,无论怎样杂乱无章,他只要辨认一下,就能说出向前走过的是什么野兽,向后走去的又是什么野兽,大约有多少头,已经离开了多久。至于狮子,他更嗅得清楚了,半里以外就能察觉,甚至能说出是两只还是四只。

杰克虽然极爱丛林,也喜欢这海阔天空无拘无束的生活,但他流浪到非洲,毕竟是被迫的,他对伦敦的家和慈爱的双亲,心里始终放不下。现在他仍想找一个海口,给父母拍个电报回去,请他们汇款来,接济他重回伦敦。将来如果还想来,可以再到非洲来玩。他无意间曾听父亲说过,父亲在非洲还有个庄园呢。

时间一久,杰克在丛林里自卫的能力日见高强,力气也比过去大多了,胆量自然也壮起来。有时遇到狮子,阿库特总是先爬上树去,杰克却常常嬉皮笑脸,向狮子迎面走去。也幸亏他运气好,每次碰到的狮子,不是吃饱了的,就是见他这样大胆,反而惊愕不前,圆睁着眼睛看着杰克走过去,在杰克走了之后,才低吼一声,转身走开。

狮子的性情也有和人类相似的地方,各有各的特点,并不都是一样的。杰克由于过分艺高胆大,有一次几乎送了性命。一天,杰克和阿库特走过一处小平原,那里长着矮矮的灌木丛。阿库特走在杰克的左边,知道附近有狮子了,已经警觉起来。杰克这时却嘻嘻哈哈地嚷着:"快跑呀!阿库特!我是泰山之子,我会保护你的。"

杰克居然嬉笑着向狮子横卧的地方走去,阿库特拼命喊他,他不但不听，反而举起长矛，学着当地土著的蛮族舞蹈，向前走去。狮子见他直奔自己而来，而且越来越近，激起了它的野性和暴怒，它狂吼一声，有如霹雳，从隐伏处猛地跳出来，离杰克只有十步远近。这时杰克才看清，这次碰到的是一头不寻常的特别大的雄狮，美丽的长毛蓬松地披在颈项上，十分威武，这才真是一只名副其实的兽中之王呢！此时狮子已经张开口，露出尖锐的獠牙，眼中闪着黄而带绿的光，怒视着杰克，发出了挑战的表示。杰克这时才明白，平时大大咧咧惯了的他今天可真遇到劲敌了。

杰克知道自己手中的长矛绝对敌不过这只狮子，然而他已无法退却了，距离左边最近的树也有好几步远。狮子已经盯上他了，即使向树上跳去，狮子也会追上来抓到他。他注意到在狮子的身后有一株长着刺的树，杰克握着长矛，估量着那株大树的远近，情急智生，想出一个绝计来。这虽然很冒险，但他已经没有余地考虑别的方法了。他必须抓紧时机跳上刺树去，若等狮子扑过来，就来不及了。杰克主意已定，就很敏捷地扑向狮子。阿库特很惊异这孩子怎么有这样的胆量，狮子也吃了一惊，静候他扑上来再应付。哪知杰克却拿出了他在学校体育课上最得心应手的本领。

杰克横握着长矛，向狮子直奔过去，这大概是谁也不会想到的事。阿库特吓得狂叫着，狮子圆睁着双眼等着，准备杰克冲上来时，就直立起身子抓住他。狮子的巨爪锋利而有力，水牛的头颅也经不起它一击。谁知杰克冲到狮子跟前，并不跟它搏斗。还没等狮子直立起来，说时迟那时快，只见他把矛尖向地上一点，身体借势腾空而起，用撑竿跳高的方法，越过狮子的头顶，落到

只见他把矛尖向地上一点,身体借势腾空而起。

那株刺树上去了。虽然一瞬间就化险为夷了，但是身上的皮肉却被刺破了很多处。

阿库特有生以来从没有见过这样的撑竿跳法，现在乐不可支地在树上跳来跳去。骄傲的狮子也被弄得莫名其妙，扑向自己的猎物，不知怎么一来，像忽然长了翅膀一样，竟飞上了高树。杰克被撕破的皮肉淌着鲜血，这时也顾不得疼痛，他选了一根刺少的树枝坐下来。狮子见就要到口的食物竟飞走了，愤怒地在树下吼叫了一个多小时，知道没有希望了，才悻悻地走了。杰克跳下树时，身上又被刺伤了几处。他自己也委实觉得这次太冒险了，身上虽然留下了一些伤痛，也应该说是不幸中的大幸了。

得到这次教训之后，杰克懂得处处小心了，不到万不得已，决不敢再冒险。阿库特见他皮开肉绽，非常怜惜，劝他静养几天，别再走动。杰克的创伤在阿库特的舌舔下，居然逐渐好起来了。杰克觉得身体好些了之后，和阿库特又继续往海岸走。有一天，他们经过一片树林时，杰克敏锐的眼睛发现了许多足迹。从穿鞋的样子判断，这明明是白人的脚印，并也可以看出，是白人带着一大队土人从这里走过。从脚印看起来，他们是向北走去的，而杰克和阿库特却是向西走的。

杰克心里想，这些人或许知道去海岸的路线，说不定他们就是到海岸去的，他很想顺着脚印追上去。但是阿库特很不愿意，它和杰克已经相处得很熟了，不愿意再看见别的人。杰克身上原有人猿泰山的血统，阿库特几乎已经把他当成了自己的同类，它曾极力怂恿杰克加入大猿一族。它自己已年老了，不可能在猿群中再争王位，它希望杰克也能像泰山一样，做一片森林之王。杰克丝毫不为所动,执意要去找白人,想托他们带个信给父母。阿库特留意着杰克的意图,知道他有着离开这里、返回故乡的想法,觉得非常凄楚。它爱杰克,像当年爱泰山一样,忠心不二,它希望杰克永远留在非洲。如今听杰克这样说,看他的心思也很坚决,心里怎么能不难过呢?它凄凄凉凉地跟着杰克走,一心怕遇见白人,把它和杰克拆开。杰克也知道阿库特伤心,可是他返乡心切,所以一心想找到白人,又有什么心思去安慰阿库特呢?

杰克细看那脚印,凭他的经验判断,大约还是两天以前留下的。看来,人数既多,走得又非常缓慢。如果他和阿库特快速往前赶,不消说几个小时就可以追上,偏偏阿库特有意磨磨蹭蹭,杰克只好一边哄着它一边往前赶。追了一会儿,他已经远远能看清队尾的武士了,还有两个白人。在武士的前面有十多个土人,看样子是经过长途跋涉,已经不胜疲惫,不然就是病了。他们大多背着沉重的东西,一步一歪地走着。两边各有一个白人,押着这些人前进。这两人都留着黄色的胡须,身体高大。杰克正想招呼他们,一个白人的动作却使他惊呆了:只见他挥着鞭子,狠狠抽在那些负重而又赤膊的土人身上,皮鞭过处,皮开肉绽,鲜血淋漓。紧接着,另一个白人也照样打了起来。杰克见这两个白人如此残忍,心里不免凉了一截。

这群人一边走,一边不时地回头向后看,好像他们做了什么坏事,怕后面有人追来。杰克本想追上这支队伍,一看这种情形,心中起了怀疑,只是时而树上、时而树下地紧跟在后面,观察着他们。不久,阿库特也跟上来了。阿库特本属兽类,在兽群中,恃强凌弱的残暴它是司空见惯的,于是它问杰克,既然遇到了同

类,又苦苦追赶了一阵,为什么不上去打招呼呢?杰克回答说:

"那两个人是恶魔,我不愿意和他们一块儿走,我会打抱不平的,一定会闹出流血惨剧来。我只是想向他们打听打听,到海岸去怎么走,还有多远的路。问过之后,我们就可以离开他们。"

阿库特没再多问,杰克跳下地来,追了上去。和前面的人相距还有一百米光景时,被一个白人看见了。那人立即警告全队,自己举起来复枪,对杰克砰地开了一枪,幸而杰克躲闪得快,子弹打在一株树上,碎木片四散飞了开来。有一块木片弹到了杰克腿上,幸而力度不重,并没伤着皮肉。另一个白人也开了枪,而且命令部下武士一齐向杰克射击。杰克跳到树后,一枪也没有打中他。这两个白人原来就是詹森和马尔宾,前两天他们刚从村中逃出,深恐酋长派人追击,所以不断向后探望。今天他们忽然看见后面追来一个白种蛮族,看那一身装束,又俨然像个武士,他们怎能不害怕呢?所以马尔宾不问缘由就开了枪。开枪之后,他们要射击的那个人又忽然不见了,于是大家议论纷纷起来。

本来只有马尔宾一个人看见了杰克,那群土人不过闻风而动,在马尔宾的命令下只是胡乱射击一气。现在问起来,他们只有信口开河地胡说了。有一个黑人说,他看见一个十几尺高的大汉,人身象头;有的说看见了三个长着很浓胡须的阿拉伯人。争论了大半天,也没个结果。有几个胆大的土人跑到出事地点去察看,仍旧什么也没看见。原来阿库特和杰克受了这一阵乱枪,早已从树上走远了。

杰克受了这一顿没头没脑的攻击,十分气恼。记得前几天,被黑人无故当成敌人,今天总算遇见了同种的白人,却也不问青红皂白就开枪。他思量了许久，自言自语地说：

"我真绝望了！林中的小动物见了我害怕，强大的猛兽又想吃我，黑人见了用毒箭和长矛对付我，现在，那些白人总该算是我自己一族的人了，可他们也向我开枪。难道世界上所有的动物都是我的仇敌吗？难道我只有阿库特这一个朋友了吗？"

阿库特见杰克又是生气，又是伤心，就走到杰克身边说："不要紧！还有我们大猿呢！阿库特的朋友，就是你的朋友。大猿族一定十分欢迎泰山的儿子。现在，既然白人也这么对待你，不如让我们一同去找我的大猿族吧！走！我们现在就走！"杰克听阿库特的语言虽然简单，再加上手势，完全能看出它的一片真心诚意，自己已经到了这种境地，阿库特的这一番话倒确实给了自己几分宽慰。

阿库特说了上面的话之后，两个谁都不再说什么，一齐默默地往前走。杰克一边沉思，一边暗暗下定决心，将来一定要出这口气。最后，他对阿库特说："好吧！阿库特！我们就去找大猿族吧！"

八
初会大猿群

自从詹森和马尔宾受到酋长的恐吓逃出村落以后,日子过得很快,不觉又是一年了。酋长的村落里,小梅林依旧抱着基卡玩,像从前一样。基卡本来就不精致,玩了三四年,更旧更难看了。尽管如此,梅林还是常在基卡耳边诉说着自己的痛苦、自己的希望和自己的憧憬。她虽然明知跳出这个被软禁的火坑不是件容易事,但她心里的希望并未因此而泯灭。她的憧憬说起来很简单,只要脱离这个苦难的陷阱,带着基卡,逃到没有酋长、没有玛布奴,也没有猛兽侵扰的幽静地方。在那里她可以不受打骂,整天和基卡玩耍,她就心满意足了。她还希望这个地方充满鸟语花香,树顶上再蹲几只小猴子在那里跳跃嬉闹,那就更好了。

今天,梅林坐在村子栅栏旁边的一株树下玩耍,她为基卡搭了一个小帐篷,是用树叶编的,帐篷前面放着几个小木块、几片树叶和几块石头。在她心目中,这些是帐中人的生活用具。她用两根树枝撑住基卡,让她坐在小帐篷门前,表示基卡在吃饭。她又和基卡谈起天来,谈得非常专注,一点也没发现栅栏外的树上正有一个人从丛林中来,躲在树上偷看她呢。

梅林玩得津津有味,树上的人也偷窥得兴趣盎然。几个月前,酋长去了北方,村里也没有来过外人,所以梅林总算过了一段太平日子。现在这两个人,一个在树上,一个在树下,一个在一心一意地玩,一个在全神贯注地看,却不知道村落外,那个凶恶的酋长正在往回走,距离村落只有一小时的路那样近了。

在这里,让我们暂时留下这个伏笔,先回过头来,说另一件事。

杰克自从那次受了白人的枪击后,心灰意冷,又听了阿库特的劝说,最终放弃了寻觅人类的打算,一心去找大猿族。几个月以来,他俩专找浓密的丛林走。这时距杰克初来非洲已有一年了,他的身体锻炼得更强壮了。有时和阿库特打着玩,阿库特竟不是他的对手。阿库特尽心地教给他大猿的战术,杰克也用心学习。原来阿库特是有着良苦用心的:非洲丛林中的大猿受天然淘汰,有日渐减少之势。它想找到本族,把杰克拥戴起来,做个猿群的首领,有勇有谋的杰克如果做了大猿之王,大猿一族一定可以昌盛起来。阿库特正因为有这个良苦用心,所以才不惮辛苦,跋山涉水,领着杰克去寻访大猿的根据地。

他们一路上的食物,大多是靠打猎得来的羚羊和斑马。有时是阿库特徒手猎取,有时是杰克用长矛掷击,每次都必有所获。

杰克上次从黑武士身上剥来的豹皮,已经围了许久,渐渐破旧了。有一天,他凭着手中的利刃又杀死了一头巨大的豹子。他看豹皮华美,暗想:用这样华美的毛皮给自己做件新的装饰品,岂不更足以显示自己的英武?于是,他便把豹皮剥下来,围在腰上。他不懂兽皮必须经鞣制才能穿用,围了几天之后,皮就发硬,围在身上像块铁片,一走路还哗啦啦地响,怪不舒服。凑巧这时候他又遇见了一个黑武士,也围着同样华美的豹皮,却比杰克的那块又干净又柔软。杰克想杀了黑武士,夺取他的豹皮。于是他倏地跳了过去,恰巧骑在武士的肩头上,轻而易举地结果了他的性命。

杰克已经习惯了这种丛林中的法则,那就是弱肉强食,不是自己杀死对方,就是被对方杀死。杰克得到了豹皮,心满意足地给自己围上,和阿库特又继续往前走。

终于有一天,在丛林深处,一个人迹罕至的地方,他们找到了一片大猿啸聚的所在。那晚,他俩睡在树顶,朦胧中听见一阵土鼓声,把他们从梦中惊醒。阿库特侧耳听了一阵,兴奋至极地对杰克说:"这一定是大猿群,它们在跳登登舞呢!来!泰山之子!我们的哥鲁克!去找我们的朋友吧!"

几个月之前,阿库特给这个孩子取了个猿语的名字,因为猿语的发音都是咕咕噜噜的,它怎么也发不出"杰克"这个名字的上腭音,所以它索性管杰克叫"哥鲁克"了。"哥鲁克"在猿语中是"杀手"的意思。现在,不管杰克同意不同意,他只好改名叫哥鲁克了。这时,他听到阿库特的话,站了起来,在大树上伸了一个懒腰,打着哈欠。明亮的月光从树叶缝隙中照进来,照在杰克光滑的皮肤上,洒下了许多美丽的光点。

阿库特也站了起来,从胸膛深处发出一声低低的咆哮,哥鲁克也附和了一声,然后他俩一齐跳下地来,向大猿集中的地方走去。月光如水,照着他们穿过平原,哥鲁克哼着英国学校的流行歌曲,心中充满了快乐和期望。他们寻找多时的目标,马上就要达到了。他把大猿看作自己一族,鼓声响的地方说不定就是自己未来的家了。现在，在杰克的心里，伦敦和文明社会都被抛在脑后了，就像根本没有存在过一样。除了身体的外形、发达的头脑和头脑里的精神世界，他和站在他旁边的这只大猿已经没有什么两样了。

这时哥鲁克非常快乐，举起手来，在阿库特的头上重重打了一下。这个举动是有些失态了。阿库特不明白这是在玩耍，还是真该发怒，掉转身来，露出长牙，伸出前臂，要抓哥鲁克。过去他俩也常打闹着玩，两个扭在一起，咆哮呀，打呀，咬呀，动作都是真的，不过，绝对不伤到对方的皮肉。这样做，他俩都有所获益，哥鲁克从学校里学来的角斗术，阿库特学到了不少，哥鲁克从阿库特那里也学到了大猿简单的摔跤技巧。这种扭住对方的摔跤技巧，是大猿始祖遗留下来的，当大猿开始用这种战法的时候，地球上只有啮齿类植物，还没有鳄鱼，也没有现在的某些飞禽呢。不过，哥鲁克有两手绝招，是阿库特总也没有方法躲避的。如果阿库特冲上来打他，哥鲁克不是照它鼻子上一拳，就是照它胸腹之间一拳。哥鲁克每次用这一招时，阿库特不是马上止步，就是倒伏在地。阿库特有时受了这个打击，也会大发野性，咆哮着要用利齿去咬它的朋友，可是哥鲁克毕竟比它聪明灵活，没有一次被它咬到过，往往在躲闪中，阿库特反而又受了几下冷拳。每当阿库特吃了这种亏时，就蹲在一边，气呼呼地咕噜着。但他俩毕竟有深厚的友谊，过不了半小时就又会和好如初了。

今夜，他俩没有认真做拳击游戏，玩了没多久，就闻到了豹子的气味，他们两个立刻站起身来，蹿到树上去了。接着，从林中跑出来一头巨大的豹子，就从他们树下走过，似乎在侧耳探听着什么。最后哥鲁克和阿库特咆哮起来才把它赶走。

哥鲁克和阿库特都从树上往前走,循着登登舞的鼓声走去,相距越近,声音越大,到最后已能隐隐听到大猿的咆哮声,也闻到大猿的气息了。哥鲁克不禁兴奋得战栗起来,阿库特虽然也知道这种场面,但此时仍不免感到毛骨悚然。

到距离很近的时候,他俩就从地上爬过去,接着又上了树,围着转一圈,观察一阵,才又下到地面上来。从树丛空隙间望过去,这一幕原始舞蹈就清清楚楚展现在他们面前了。阿库特原是亲身经历过的,哥鲁克却是第一次看见。只见许多大猿在月光下围成圆圈,跳着既不整齐又没规律的舞步。在圆场的中央,放着一只平面的土鼓,有三个年老的母猿在敲打着,用的鼓槌都已经磨光滑了,看来,似乎很用过些年头了。看了一阵,他们又轻轻跳回树上,从高处向下看,这样可以把全场看得更清楚些。

阿库特很熟悉它们的规矩,在跳舞的时候,谁也不能够去打搅,否则是要受到惩罚的。必须等到鼓声停止了、举行过宴会之后才可以去招呼它们。到那时候,阿库特还得跟它们进行谈判,才能知道是否允许它和哥鲁克加入这个群体。它们当中自然会有反对者,那就必须和反对者一较高低才成。阿库特觉得它和哥鲁克两个应付决斗是绰绰有余的,尤其哥鲁克的才能和智慧是大猿们所没有的,只要经过一段时间,就会使它们心悦诚服的。如果能把哥鲁克推上大猿的王位,也不枉自己的一番跋涉。它正在盘算着,哥鲁克却沉不住气了,正要急不可待地跳下去,幸亏被阿库特及时拖住,才没被群猿发现。大猿群最隆重的仪式便是登登舞,不属于本族的大猿是绝不准闯入的,胆敢有破例者,格杀勿论。丛林中无论哪一种猛兽,每逢瞥见大猿群在举行登登舞,都会远远避开,不敢侵犯。

月亮渐渐西斜,鼓声也渐渐轻了,跳舞的步伐也随之缓慢下来。忽然,鼓声一住,跳舞也立即停止,所有的大猿都退到圈外,奔向早已准备好的食物,大嚼起来。

阿库特看着这些安排一步一步进行下来,它已经明白了,于是就讲给哥鲁克听,这是庆祝新王登基的典礼,同时它还指给哥鲁克看,中间一个身材高大、神情严肃傲慢的大猿,就是杀了老王、刚登上王位的新王。

大猿们吃饱了之后,就蜷伏在树下睡了。阿库特拉着哥鲁克的手臂,低声说:"慢慢走,跟我来!一切看我的举动行事!"

说着,他们跳上横出在圆场上空的一根横枝,静静地站了好几分钟,然后低低地咆哮了一声。当时就有二十几只大猿站了起来,睁着小眼睛向四周探视,寻找发出声音的地方。那个新王眼快,第一个看见了他俩,回了一声重重的咆哮,便向他俩站着的地方走来。它脑后的毛发直竖起来,几个强壮的部下紧跟在它后面。新王走到横枝前面,怕他俩跳下来,便站在适当的地方,身子前前后后摇晃着,露出利齿,发威地咆哮,由低渐高,阿库特知道这是挑战的表示。阿库特原是打算来入伙的,不是打算来火并的,所以它大声说:"我是阿库特,这位是我的朋友哥鲁克。哥鲁克是猿王泰山的儿子,我也曾是海岛中另一族大猿的王。我们是来帮助你们的,我们俩都是狩猎的好手,我们没有恶意,允许我们入伙吧!"

这个新王才登基,深恐有人来争王位,所以坚决不许他们入伙。它上上下下打量着他俩,见哥鲁克是个身上没有毛发的人类,恰巧它过去吃过人类的亏,人类是它最害怕也最痛恨的,因此便咆哮道:"滚开!滚开!再不走我就要杀死你们了!"

心里充满了热望的哥鲁克站在阿库特身后,他见那些大猿都与阿库特相似,非常高兴,很想跳下树去,要求它们承认自己是朋友,承认自己也是大猿一族的。他满以为它们会欢迎自己的,可是当他听了新王的话后,真是大出他意料,同时也使他十分伤心。回想自己的经历:黑人认为他是坏人而攻击他;遇到同类的白人,自以为总可以受到欢迎了,哪知连一句通情达理的话也没听到,却引来了砰砰的一阵枪声;找大猿,是他最后的希望了,哪知碰到的又是拒绝。这样一来,旧恨新仇,怨愤与绝望,一齐涌上了他的心头。

哥鲁克看大猿王恰恰站在他们下面,其他大猿都站在几米之外,围成一个半圆形在观望。此时阿库特站在哥鲁克的前面,看不到哥鲁克的动作,哥鲁克竟乘这个机会,飞快跳下地去,站在猿王的对面,大声咆哮道:"我是哥鲁克,我是善于厮杀的。我原想和你们做朋友,你竟敢拒绝,还要驱逐我!好啊!既然这样,我不会强求留在这里。不过,在走之前,我要告诉你:我是泰山之子,我是你们的主人!我和我父亲一样,我父亲不怕你们猿王,你也休想我会怕你!"

猿王见他这般勇猛,惊得呆住了,一时没有答出话来。阿库特也着实吃了一惊,它在树上声嘶力竭地催哥鲁克回来,它知道,新王的那批党羽会一窝蜂地上去攻击哥鲁克。新王也身强力壮,哥鲁克寡不敌众,一定会吃亏的。然而看这阵势,哥鲁克现在绝不肯退却,如果自己跳下树去相助,也只有牺牲的份儿。但是阿库特深深爱着哥鲁克,它宁死也不能失去哥鲁克,事已至此,它只能把生死置于度外了。它毅然咆哮着跳下树来,和哥鲁克并肩站在猿王面前。

这时猿王正好张口伸臂,要去抓哥鲁克,准备一口咬住他的咽喉,于是它一声不响地直扑过去。哥鲁克不慌不忙,弓下身子迎了上去,看看临近了,抬起右脚,对准猿王的腹部狠狠踢了一脚,踢个正着。那猿王强忍住疼痛,狂吼一声,继续向前扑去,哥鲁克却巧妙地一闪身躲过了。

站在猿王身后的那群大猿见猿王被打,都暴怒地向哥鲁克和阿库特冲了过来。阿库特知道寡不敌众,哥鲁克也不可能是群猿的对手。可是,此时它要叫哥鲁克退却,他一定不肯听,也没有时间与他争辩了。在这生死关头,阿库特真急了,它跳到哥鲁克身后,把他拦腰抱住,扛在肩上,跳出大猿的包围,奔向场边一株枝丫低垂的树,三步两步跳上树去。不管哥鲁克在肩上怎样挣扎,它只顾向前奔跑。阿库特虽已年老,但气力仍强,加之急于拯救朋友,体力又比平时增加了几倍。在后面追着的大猿,没有一个能追上它。它们追了一阵,见追不上,便咆哮几声,仍退回圆场上去了。

九
救出梅林

哥鲁克在失望中听了阿库特的劝说，一心一意找大猿群，费尽千辛万苦，好不容易找到了，满以为可以有个归宿了。谁知不但不被认同，反而打了一架，他们被驱逐了出来。这时哥鲁克的愤懑、懊丧是可想而知的。他憋着一肚子的无名怒火，总想找个机会爆发一场。他怀着抑郁绝望的心情，在丛林中无目的地徘徊。他止不住反复地想：难道天地之间真没有欢迎我的地方了吗？遇到的一些有生命的动物都拿我当仇敌，除了阿库特之外，再也找不到一个朋友。活到这个地步，真令人万念俱灰、烦躁莫名。这些天来，他无论遇到什么动物，都大肆咆哮，愤怒得像一头野兽，这种境遇与他父亲幼年时期十分相似。

哥鲁克和阿库特为了不让猛兽闻到他们的气味，专拣下风头走。一天，他们在丛林里闲逛，借以消散心里的闷气。突然，他们两个同时闻到了一种不同寻常的动物的气味，不由得都站住了，往同一个方向静静地听了一会儿。哥鲁克紧走几步，跳上了一棵树，阿库特也在后面跟着他，他们俩都十分小心，不弄出声音来，脚步轻到即使十步以外有什么动物，也绝对听不到。

他们俩在树上既轻且慢地前进，一直小心翼翼的，不时你看看我，我看看你，露出惊疑的神色，走了颇长的一段距离，终于走到了一个地方。哥鲁克遥望见百米之外，有一个村落，隐约可以看见村里有羊皮帐篷，还有茅草房的屋顶。哥鲁克的记忆忽然一闪，这个地方怎么似曾相识呢？是来过这里吗？又一想，自己不见得来过，因为土人的村落，建筑的样子都是差不多的。既然有个村落，必然有黑人，不妨去看看。哥鲁克现在非常痛恨黑人，这时，他咬着牙，带着一脸要去报复、要去出气的笑容，叫阿库特暂时在这里等着，他自己只身一人向村落的方向飞快走去。他边走心里边想，今天村里的黑人要算倒霉，碰见我这个正窝着一肚子火儿的"煞星"，该我出出气了。他在树上飞腾跳跃着，有时攀住一根下垂的枝条，一下子荡到另一棵树上去。不一会儿，哥鲁克已走近蛮村。这时周围很静，他听到有一个人轻轻说话的声音，不像是在跟人对话，倒像是在喃喃自语。他好奇地循着声音找去，在栅栏边上有一株大树，说话的声音似乎就在大树的下面。哥鲁克握着长矛，从栅栏外跳上了这棵大树，准备只要一看见树下的黑人，就马上把他戳死。他爬到树枝中间，拨开树叶，向下寻找着。这时，他能看见树下一个人的背影了。他开始用矛尖瞄准，想要乘那人毫无戒备时，冷不防地把长矛掷下去。为了瞄得更准，他把身子向前挪了挪，以便稳、准、狠地杀死树下的黑人。

就在这一瞬间，他忽然停住了手，原来坐在树下的不是黑人，而是一个褐色皮肤的小姑娘。哥鲁克脸上恶狠狠的笑容马上消失了。他清楚地记起，在不久之前，他确实曾来过这里，也曾经看见这个小姑娘抱着一个玩偶娃娃，自己还饶有兴致地看了一阵，因为当时一心要找大猿群，所以看了一会儿就走了。他又仔细辨认了一下周围，不错，就是这个地方！他想：我确实来过这里，怪不得有眼熟的感觉！这时，他又留心观察着小姑娘的动作，一丝柔和的微笑不由得浮上了他的唇边。树下的小姑娘就是梅林。她在树下转了一下身，这时，基卡的象牙头、鼠皮身子、木头四肢，一副奇形怪状的样子，都呈现在哥鲁克的眼前了。可是那小姑娘却把这丑陋的玩偶当作宝贝一样，抱着哄着，自己的脸贴着玩偶的脸，不住摇晃着身子，还哼着阿拉伯人的催眠曲。哥鲁克不自觉地用温柔的目光注视着她，看了好一会儿，觉得这小女孩天真无邪，非常可爱。可惜女孩子是背对着他坐的，他看不见她的脸，只看得见她一头乌黑发亮的头发，褐色的小小的圆形肩膀，穿着一件没有袖子的筒衫，盘着腿坐在地上，因为衣衫太短小了，两个膝盖都露在外面。他又看见她用一个食指指着玩偶，喃喃细语，像在训斥它，接着又把它搂在怀里，哼着歌给它听，似乎怕玩偶感到委屈。

后来小姑娘扭动了一下身子，头部也随之侧过来了，这时哥鲁克可以看清楚她的大半张脸了。她竟是一个很清秀的姑娘呢！哥鲁克赶紧抓紧长矛，唯恐它落下地去，吓坏了她。哥鲁克这一阵的心情变化很大，从咬牙切齿想杀死树下的黑人，到现在唯恐惊吓着她，更没有想杀死她的心了。他想，如果刚才自己不仔细看看就飞快地把长矛掷下去，让这样一个姑娘死在自己的矛下，那是多么可悲的事！假如真这样，他会一辈子追悔莫及！哥鲁克开始思考自己该怎么办：如果此时他冒冒失失跳下去，小姑娘一定会惊叫着跑开，惊动了黑武士的话，他们会冲出来保护她，黑武士即使不把自己杀死，也一定会把自己驱逐出去。可是，现在哥鲁克的心灵好像被一种美好的愿望占据着。他离开人类已经很久了,他非常想和那小姑娘说说话,也许她讲的阿拉伯土语自己不一定能听懂,但是可以打手势,对方毕竟是个人,总比跟阿库特说话要好得多。同时,如果能面对面地跟她谈话,也可以有机会仔细端详她的面目了。通过这一阵观察,她已给哥鲁克留下了很好的印象,尤其是她对玩偶表现出的爱心,更引起了哥鲁克的怜悯和同情。但他始终想不出一个好办法,不知怎样下去和她见面打招呼才最妥当,不会吓着她。

他想了许久。最后,总算让他想出了一个办法,就是从树上下来,走到村外较远的地方去,然后慢慢走过来,隔着栅栏、带着笑脸招呼她。这样,或许可以不致让她惊恐。他想好了这个主意,就从树上退回去,准备从远处向栅栏走来。

他正想下树去,忽然村外传来了一片杂乱的声音,他不知发生了什么事,急忙从树上奔向村头,想去看个究竟。这时,只见村里的男女老少一齐向村外跑去,村门大开,从外面回来的一群人马浩浩荡荡地进了村子。他们中大多数是黑奴和沙漠北部脸色黝黑的阿拉伯人,脚夫们赶着一大群骆驼,后面还有与骆驼一样驮着重东西的疲惫不堪的驴子,驴队的后面才是羊和马。领队的是个身材高大、神情冷酷的老头儿,骑着马,高昂着头,照直向村中的羊皮帐篷走去。奔出来的村民,都纷纷退向两边,给那老头儿让出一条路来。到了帐篷前老头儿下了马,向一个满脸皱纹的老太婆讲了几句话。

哥鲁克注视着那老头儿,看他似乎向老太婆询问了一件什么事,又见老太婆向村边的一个角落上一指,她指的方向就是小姑娘玩耍的地方。哥鲁克猜想,这老头儿大约是小女孩的父亲,父亲出门久了,回来之后,必然会先问起自己心爱的女儿,这也是情理之中的事。在哥鲁克的想象中,父女相见,该是多么快乐的一个场面啊!那女孩一定会奔上去,张开两臂,紧紧抱住父亲的脖子,亲吻他长满胡须的两颊。哥鲁克想到这里,不由得想起远在伦敦的父母,久已忘却的亲情,又不禁使他难过起来。

哥鲁克轻轻回到刚才偷看小姑娘的地方,心里想,即使看看别人的天伦之乐,也可以稍稍宽慰一下自己的思乡之情。他想等他们父女见过面之后,就下去跟老头儿商量,请求他允许自己和那小姑娘做个朋友,倘能得到他的允许,此后就可以常来这里,和小姑娘一起玩耍了。

哥鲁克的目光一直追随着那老头儿,只见他径直向小姑娘的坐处走去,站在她的背后,脸上不见一点慈爱的笑容,神情甚至比刚才更冷峻。小姑娘正玩得出神,没有觉察到身后有人,依然喃喃地同玩偶谈着天。老头儿却突然严厉地大喝一声,小姑娘大惊失色地转过头来。哥鲁克这时才看清她整个的面庞,原来她有一张天真而美丽的脸,两颗黑色的眸子又大又亮,小巧玲珑的鼻子,下面是一张红润的、线条很美的小嘴。哥鲁克突然觉得她非常可爱,渴望能和她相识。他原以为她见到父亲会流露出意外的欣喜,哪知事实并非如此,她竟惊恐得全身发抖,像奴隶见了主人一样,吓得不知所措。那老头儿却露出一副狰狞相,小姑娘想躲避已经来不及了。老头儿一脚把她踢倒在草地上,接着,又像抓小鸡一样,把她抓起来,重重丢在地上,不由分说,就是一顿拳打脚踢。原来这老头儿就是酋长,他虐待梅林已经是家常便饭了,这个村落里的人早已司空见惯,只有哥鲁克第一次见到这种不可理解的事。

哥鲁克在树上看到这意想不到的一幕,满腔怒火,一下子气得野性大发起来。他马上露出雪白的牙齿,从树上直跳下来。老酋长正想继续痛打梅林,冷不防从半空中跳下一个人来,只见他左手握着长矛,也是一身武士装束。酋长正在发愣,还没回过神来,哥鲁克举起右手,照老酋长鼻子上就是狠狠的一拳。这一拳哥鲁克是使足了力气的,老酋长立时满脸是血,昏倒在地上,一动不动了。

这时,旁边围观的黑人也都吓呆了,有的甚至逃进茅屋,唯恐殃及自己,没有一个敢上来保护老酋长和哥鲁克交手的。哥鲁克见老头儿已被打昏,周围的人跑了不少,就走到小姑娘身边,过去扶她,帮她挣扎着从地上站起来。只见她瞪着两只受惊的眼睛,战战兢兢地望着哥鲁克,简直不知所措。过了好一阵,她又转过脸去望了望酋长。哥鲁克唯恐再有人来伤害她,就用一只手扶着她,站在那里。哥鲁克的意思,是等老头儿醒过来,再和他理论。他们就这样静静地站了一会儿,梅林用阿拉伯语对哥鲁克说:"等他苏醒过来,就一定要杀死我了。"

哥鲁克根本听不懂阿拉伯语,他摇了摇头,先用英语问她,见她不懂,又用猿语问她,见她也完全听不懂。哥鲁克正在发愣,想不出办法。他看见梅林俯下身去,摸了摸老酋长腰间挂着的长刀,然后在自己胸前做了个刺进去的手势,哥鲁克这才明白了她的意思。他见梅林站在自己身边,虽然仍在发抖,但从她的目光中可以看出,她对自己并不惧怕。梅林之所以会这样,其实并不奇怪，因为她自从来到这个蛮村，没有一个人对她表示过同情和怜悯，只有眼前这个男孩子，虽说是陌生人，却在她遭受痛打的时候挺身而出救了她。她仔细看了看哥鲁克，他比自己要大一些，但也是个没成年的男孩子，皮肤也和自己一样，是褐色的，身上披着华美的豹皮，从肩头直到膝盖，显得非常威武。他腕上竟有金属套环，这使她十分羡慕，因为女孩子到了一定的年龄，自然就有了想打扮的愿望。她当然也很想得到这些装饰品，可是老酋长从来也不给她，只给她一件仅能蔽体的棉布衫子穿，比这更好一点的衣服从来没有她的份儿，至于珍珠玉雕等等，就更不用做梦了。

哥鲁克看着小梅林，也产生了一种从来没有过的好感。原先在伦敦时，他从小蔑视女孩子，同学或小伙伴中如果谁和女孩子一起玩，他一律嗤之以鼻，认为他们不配当男子汉。现在他却觉得自己应该保护眼前这个女孩子。他在想：自己到底该怎么办呢？如果仍旧让她待在这个村子里，一定还会被这老东西虐待，刚才女孩子已经用手势告诉他，这老头儿会杀死她的。不然，就带她到丛林里去？可是这样柔弱的一个小姑娘，在林莽里能生存得下去吗？到了夜里，月光照在丛林里，到处都有黑影，还有野兽的吼叫声和脚步声，她能不害怕吗？

哥鲁克这样一想，不免犹豫了几分钟。梅林看着他的脸，虽然不知道他在想什么，但此时她不能不顾虑自己的将来，处在这个举目无亲的村子里，未来像一片茫茫无边的苦海，以后再遭受虐待时，还有谁能像这个从未谋面的男孩子一样来救助自己呢？她尤其害怕那个凶恶的酋长，刚才那一拳，他确实挨得很重，梅林还从没见过有人敢这样打他,将来他若报复起来,自己非遭毒手不可。平时自己没犯什么错,他都以打自己来取乐,村落里从来没有人敢出来劝阻。这次他由于打她而被人打昏,她还想活命吗?想到这里,她真怕这位不知名的朋友把自己丢在村子里,她焦急地向哥鲁克靠近了一步,两只清澈的眸子含着晶莹的泪光,带着乞求的神情,直视着哥鲁克。她那瘦弱的小手紧紧抓住哥鲁克的手臂。哥鲁克低下头来看看她,看到她这无言求助的神态,自己也实在不忍丢开手走掉,他想了想,毅然决然地说:"你跟我走!丛林里虽然危险很多,但总比你在这里好,你住在丛林里,有哥鲁克和阿库特保护你!"

梅林虽然听不懂他的话,但从他脸上的神情,似乎还是明白了他的意思。于是任凭他拉着她的手,向栅栏边走去。到了刚才哥鲁克偷看梅林的那棵大树下,他把梅林扛在肩上,找了一根比较低的树枝跳了上去。梅林从没上过树,生怕会跌下来,就紧紧抱着哥鲁克的脖子,不敢放手,另一只手还紧紧搂住她的基卡。村落里的人都看呆了,没有一个人敢来追。事实上,他们要追也是追不上的。

他俩出村不远,就遇见阿库特来接他们。梅林不知道这是哥鲁克的伙伴,她从来没面对面地遇到过这么大的一只大猿,她吓坏了,紧紧贴在哥鲁克的身上,用眼角偷看着大猿,吓得连喊都喊不出声来了。阿库特却以为哥鲁克捉来了一个俘虏,于是咆哮着奔过来,想帮着哥鲁克杀死她,于是张开大口,露出牙来。没想到哥鲁克也龇着牙咆哮起来,不许阿库特接近。阿库特似有所悟:"哦!看来哥鲁克找到他的雌伴了。"它想看看他俩到底会怎样,就站在原地,不再往前走,只用眼角偷窥着哥鲁克的行动。哥鲁克把梅林放在一株大树的枝杈上,她胆怯地紧紧抓着树枝,这一切都被阿库特看在了眼里。

哥鲁克指着她对阿库特说:"以后她和我们一起走,你不能伤害她,我们都要保护她!"

阿库特缩起头颈,把脑袋转向一边,表示了不满。它看到她在树上那样胆怯,见了自己又吓成那副丢魂失魄的样子,认为带着她一起走,实在是自讨苦吃。按照大猿的惯例,凡体弱、自己保护不了自己的,或者在长途转移中追不上群的,只好受到淘汰,大家只能不客气地把它丢下,不能让它成为群体的累赘。今天的阿库特,当然也会按照大猿的习惯来对付梅林,但看哥鲁克的意思是要坚决带她一起走,也就不再争执,且由他去。阿库特有时好奇地仔细端详梅林,怎么看这瘦弱的小姑娘都不顺眼,简直找不出一点惹人喜爱的地方。她遍身没有猿毛,光滑得像蛇一样,这一点倒是和哥鲁克相同,多难看!真不知哥鲁克看她美在哪里!在阿库特心目中,这瘦得像小鸡一样的小雌白猿,远不如前几夜在圆场上看登登舞时所见的一只母猿,那才真算得上美丽!嘿!如果能像那只母猿,才配称猿类中的美女:大大的嘴巴,可爱的长牙,一身浓密柔软的毛,那有多好看!阿库特看着梅林,越看越觉得难看,于是它站了起来,挺着胸膛,趾高气昂地走到一株坚固的大树前,往树上用力乱撞乱打。它是想让她见识见识自己的雄威,梅林见它面貌狰狞,身材高大,再加上这种莫名其妙的狂暴举动,以为它要杀死自己,吓得她更贴近哥鲁克,一动也不敢动。只可惜当时她和哥鲁克也语言不通,她无法明白这只大猿竟是自己保护人生死与共的朋友。她这时吓得六神无主，简直连回蛮村的想法都有。可是一想起酋长，她又不敢回去，只好把心一横，反正左右都是个死，不如听天由命跟着他们。

他们一路上寻找食物。有一次他们碰上一只鹿，哥鲁克就把梅林放在树上，她吓得心惊胆战，看着这一人一猿飞快地跳下树去，合力追赶那只又大又肥的鹿去了。平时在她眼里，哥鲁克是个英俊的男孩，现在却忽然变成了野兽，只见他把鹿刺倒之后，竟用他雪白的牙齿往鹿身上直咬下去，然后连撕带扯，跟兽类的动作没有两样。等他杀死了鹿，把鹿拖回来时，他的脸上、手上、胸口上，满是鹿的血迹。她见他这副样子，十分惊慌，哥鲁克却拿了一块热腾腾的生鹿肉给她吃，她连接都不敢接，吓得直往后缩。哥鲁克愣了一下，继而一想，自己初来丛林时，不是也不敢吃吗？他马上明白了她不吃的原因，于是又重新奔进树林里，采了许多野果给她。这次她一点也不推辞地接了过去，非常感激他，向他微微一笑，表示谢意。哥鲁克自来到非洲，极少接触人类，即使偶尔遇到，也是遭到拒绝或被追杀。今天看见小姑娘这一笑，感到少有的宽慰，人类所固有的较细腻的温情，在他心里又有几分复活了起来。

睡觉的问题也使哥鲁克费了一番脑筋。他知道她不习惯于睡在树上，但是睡在地上又怕有蛇或兽类伤了她，更不安全。唯一可行的方法，就是选一个较大的树杈来睡，他搂着她，让她枕在自己的手臂上。这样，才能把她完全置于自己的保护之下。他又怕她冷，有时也把豹皮给她盖上。第一夜，梅林怎么也不敢睡，害怕得把眼睛睁得大大的，哪儿稍有点声音，她就要往哪儿看看。她虽然心里害怕,但她也明白,哥鲁克为她考虑得已经够周到了。到了后半夜,她实在疲倦不堪了,才沉沉睡去。第二天早晨,当她睁开惺忪的睡眼,太阳已经升得很高了。最初,她没有转动,只看见自己面前的东西,见自己睡在哥鲁克的臂弯里。稍稍转侧了一下,却发现自己背后竟是大猿毛茸茸的背脊,这一吓可非同小可,想起昨天大猿气势汹汹撞树打树的那副神情,现在它离自己这么近,若陡然给自己一爪子,那还了得!她急忙转过头来,想要赶紧逃开,目光正遇上对她发笑的哥鲁克,原来昨夜是哥鲁克怕她受凉,才让阿库特也挤在一堆睡的,现在看到梅林这一连串害怕的动作,不觉笑起来。后来见梅林要跑,才用手势告诉她,有自己在这里,阿库特不会伤害她。梅林似乎懂了他的意思,就把他当了保护神,不敢离开他一点点。

　　哥鲁克用猿语对她说话,她用阿拉伯语对哥鲁克说话,结果是谁都听不懂。这时阿库特也醒了,坐在一旁看着他们。哥鲁克对梅林讲的话,阿库特当然懂,可是梅林对哥鲁克讲的话,阿库特一句都不懂,只觉得她说得又轻又快,叽叽喳喳,有点像鸟叫。阿库特一点也弄不懂,哥鲁克为什么对这样一个雌性动物备加怜惜。阿库特对她端详了许久,怎么也没找出她的半点好处来,只好搔搔头皮,站起身来,抖了抖沾在身上的土和树叶。

　　梅林的眼睛也紧紧盯着阿库特,它这一连串的动作,更加剧了她心中的恐惧,一心想躲开它。凡是兽类,越是见到其他动物怕它,就越是得意,阿库特自然也是如此。它见梅林怕它,就更想逗弄她一下,便故意俯下身去,把那又黑又大的前爪,偷偷伸过去,装出要抓她的样子。梅林吓得大叫起来,不知往哪儿躲才好,阿库特越发得意地张牙舞爪起来。它太张狂忘形了,却没注意到哥鲁克的眼睛一直盯着它,早已握紧了拳头,准备保护梅林。阿库特的前爪刚要挨近她,哥鲁克一声咆哮,一拳已经打来,阿库特没有防备,支撑不稳,痛叫一声,摔下树去了。

　　哥鲁克站在树上,朝下一望,忽然觉得浓密的草丛中,好像有一个很庞大的东西在蠕动。梅林也向下望着阿库特,却没发现别的什么东西。只见阿库特气冲冲地爬了起来,就在这时候,一头金黄色的金钱豹从浓密的草丛中箭一样地蹿了出来,直向阿库特的背上扑去!

十
梅林被劫

当金钱豹向阿库特扑去的时候,梅林吓得没命地大叫起来,此时她倒不是为阿库特担心,而是哥鲁克的举动太使她意外了。起初,他为保护自己,把阿库特打下树去,现在见豹要伤阿库特,又奋不顾身地跳下去救它。当豹跳到阿库特背上的时候,哥鲁克已经拔出了佩刀,跳到了豹的身上。豹觉得半空中有东西压下来,几乎连自己的猎获物也压倒,同时又感到有一件锋利的东西刺进了自己肋骨里。

阿库特听见背后有声音,并没明白是怎么回事,它挣脱出来,本能地蹿上树去。梅林看它身体虽笨重,动作却非常灵活。上树之后,它往下一看,才知道发生了什么事,又毫不迟疑地跳下树去帮助哥鲁克。阿库特和哥鲁克长期共同生活,早已养成了一种习惯,到了危险的时候,总是互相帮助。现在阿库特见哥鲁克独自一个在对付一只巨大的猎豹,哪有不管的道理?当然会马上跳下去。

猎豹见多了一个对手,返回身来迎战,发威地怒吼起来,三个滚作一团。梅林从树上望下去,三个动作都非常迅猛,简直分辨不出哪个是人,哪个是兽。她吓得要命,只有紧紧抱住树枝,同时也搂紧基卡。

　　最后还是哥鲁克用猎刀刺死了猎豹，猎豹在地上滚了几滚，就再也不动了。哥鲁克和阿库特这时才站起身来，哥鲁克急忙抬头，往梅林站着的树上一指，说："别惊扰她，就让她在那里，她是我的！"

　　阿库特不满意地哼了一声，闪着血红的眼睛，跑到死豹身边，一脚踏在豹身上，发出了一声长啸。这一声，又把梅林吓得打了一个哆嗦。哥鲁克赶快跳上树来，而阿库特用舌头舔着伤痕。打了这一仗之后，他们也觉得口渴了，想去寻些野果来当早餐。

　　几个月来，他们三个一同生活，没发生过什么事故。梅林已不像初来时那样处处提心吊胆了，经过实践的锻炼，胆量渐渐大起来。在黑暗中看见闪闪发光的野兽眼睛，也不那么害怕了。她从哥鲁克那里慢慢学会了些简单的猿语，可以和他们交谈了。在丛林里生存的本领她也学了不少，有时甚至可以给他们做助手了。在哥鲁克和阿库特熟睡的时候，她能替他们守望，发现了兽迹，她也会辨认或追踪了，当然，她不会去追踪她对付不了的猛兽。她的进步使阿库特对她的轻视减少了许多。哥鲁克十分爱护她，有时，由于有了她，难免会造成一些小麻烦，他也从没流露出厌烦。后来，季节转换，天气变凉了，哥鲁克在一株树的最高处给梅林搭了一间篷屋，小梅林住在里面，既暖和又安全。哥鲁克和阿库特就睡在靠近篷屋的树枝上，这样的高处，豹上不来，但有时会有蛇，有他们睡在篷屋下，梅林就更安全了。在他们这株树的近处，常有大狒狒往来，但从来没有攻击过他们，不过在树下叫啸几声，就老老实实地过去了。

自从搭了篷屋以后,他们每晚必须回到原来的树上来,活动的范围自然缩小了。好在近处有条河流,猎物、果品和鱼都不缺,生活过得很顺适,饿了就吃,倦了就睡,居有定所,倒也逍遥自在。哥鲁克从前常因怀乡思亲而郁悒不快,现在安居下来,回乡之心也自然而然淡薄了。而且他也明白,想回家也是办不到的事,不如索性断了这个念头。

哥鲁克原先总想找人类做朋友,现在有了梅林,也算达到目的了,因此也觉得生活有了趣味。他们俩虽然天天在一起,同吃同宿,但到底天真未泯,彼此之间只是纯真的友谊,他保护梅林,觉得这是男孩子天然的责任;梅林也只把哥鲁克当哥哥看,崇拜他的英勇。至于会不会发展到异性之间的特殊感情,那有待于来日的变化。

他们三个住在丛林中,四周的邻居渐渐和他们熟悉起来,其中以小猴子和他们相处得最好,常到他们这里来玩耍。阿库特在家的时候,小猴子有点怕它,往往都避得远远的,但对哥鲁克它们倒不怎么害怕,三人中它和梅林最好。假如哥鲁克和阿库特两个都出去了,它们就放心大胆地过来和梅林玩,有时摸摸她的装饰品,有时也拿基卡玩玩。它们最感兴趣的事,就是拿基卡逗着玩,你抢过来,我抢过去,梅林也不嗔怪,还和它们一起玩,有时还送点果品给它们吃。因此,只要梅林一个人在家,它们就来陪她,一直等到哥鲁克他们回来。

玩偶基卡自从跟着梅林离开了酋长的蛮村之后,服装也变得漂亮起来,它全身上下简直是梅林的翻版。华美的小块豹皮裹着它的身子,也是从肩拖到膝下。脑后拖着一条草编的辫子,上面插着许多美丽的羽毛,手腕和脚腕上也都戴着草编的镯环。只有一点还是和从前一样,就是它始终沉默着,唯命是从,听凭梅林随意摆弄它。今天,梅林把它放在一个树杈上,自己伏在它的前面,又絮絮叨叨地和基卡聊起天来,她对它说道:"小基卡!我们的哥鲁克今天出去很久了,我很挂念他,你说是吗?只要我们的哥鲁克离开了家,就会感到寂寞,你也是这样吗?今天他走了这么久,不知又会给我们带回些什么好东西,也许替梅林带回一只金脚环?或是从黑女人身上剥一件柔软的鹿皮衣服来?小基卡!哥鲁克告诉我,从黑女人身上抢东西很不容易,他不忍心无故地杀死她们,但她们又要拼命地叫喊,若被黑武士听见了,就会一大群拿着长矛冲出来,哥鲁克一个人抵挡不了,只有跳上树去。有时候他不得不把黑女人弄到树上,剥下她们身上的东西,拿回来给梅林。他还说,黑人现在见了他都害怕,尤其是那些女人和孩子,一见了他都躲进茅屋里去,可是他还是要追进去,他每次追的目的,不是给自己取武器,就是给梅林找些装饰品。哥鲁克是丛林里的豪杰!哥鲁克是……啊!小基卡!不!我的哥鲁克!"

梅林的话还没说完,忽然从别的树上跳来一只小猴,站在梅林的肩头,非常惊慌地叫着:"快上树顶!大猿来了!快上树顶!"

梅林误以为是哥鲁克和阿库特回来了,懒懒地转过头去说:"你要上你就上吧!小猴子!小顽皮!在丛林中的大猿,只有我们的哥鲁克和阿库特,你说的大概就是他们吧?一定是他们打猎回来了。小猴子!要是你这样胆小,恐怕看见自己的影子,也会吓得没命地逃跑呢!"

小猴见她不听,为了保护自己,不得不跳到树顶上去了,一边拼命催促梅林，梅林拿定主意，就是不理。过了一会儿，梅林侧耳细听，树林中果然有脚步声，她以为一定是哥鲁克和阿库特。为什么她认为哥鲁克也是大猿呢？原来，他们三个都自认为是大猿。哥鲁克自从受了人类的蔑视之后，尽管人类是自己的同类，他也把人类视为仇敌了，从心里不承认他们。只是管白种人叫白猿，黑种人叫黑猿，他们自己也自封了个通名，叫作大猿。

梅林听着脚步声渐渐近了，想假装睡着，跟哥鲁克开个玩笑。于是她紧闭着眼睛，耳朵听着脚步声越来越近，她只等着哥鲁克到了她身边，就突然张开眼睛，伸出手去，"哇"的一声，吓他一跳。可是过了一会儿，竟然寂静无声，又过了好一阵，才听见他们中的一个，在向她身边爬过来，她很纳闷，哥鲁克怎么不和她打招呼呢？她以为哥鲁克见她装睡，也要将计就计跟她开个玩笑呢。她想偷看一下，于是把眼睛睁开了一点缝儿，朝有声音的地方望去，这才大吃一惊，原来真是一只素不相识的大猿正在向她爬来，在它后面还有另外一只也跟着来了。梅林一看情况不好，趁大猿还没向她扑来，她就像松鼠一样直跳起来，三步两步跳上了树顶。那只大猿也紧跟着追来了。小猴子们一窝蜂地在树顶上跳着、叫着，一边骂着大猿，一边指点着梅林应该怎样逃躲。梅林知道大猿身体笨重，不敢上高处的小树枝，就尽量利用自己身体轻的优势，专拣小树枝跳去。可是大猿追得很紧，不让她有脱身的机会。有几次都险些被前边的大猿抓住，幸亏她身体轻巧，动作灵活，几次都被她躲过了。

梅林选了最高的一株树，爬上树顶，以为可以安全了，哪知她在慌乱之中，没有留心这种树的质地很脆，她刚跳上去，还没攀稳,树枝马上断了,梅林的身子也跟着断枝一齐掉了下去,一下子落到相距十多尺的树枝上。对这个意外的情况,她倒没有惊慌失措,因为这几个月来,她已经习惯了,丛林中的动物在树上往来,常常碰到这样的危险,掉下去只要抓稳,平衡住身体,就行了。那只追她的大猿本来和她有一段距离,没想到她这一掉,倒给了追来的大猿一个机会,马上跳到她身边,伸出粗大的前爪,抓住了梅林。这时,另一只大猿也赶到了,想抢梅林,但前一只挟住梅林不放,向后一只龇牙咆哮着。梅林又急又怕,对挟着她的大猿乱打乱咬,大猿用前爪猛力给了她一个耳光。它见另一只执意要抢,知道树杈之间没有回旋的余地,而且被挟着的俘虏又在极力挣扎,使它无法反击,于是挟着梅林,跳到地上。另外一只也马上跟了下去,两个打了起来。这给了梅林一个机会,两只大猿一决斗,无论如何也要松一下手,她趁这个机会挣脱出来,逃跑了。但两只大猿见俘虏跑了,立刻停止对打,一同追了上去,有一只先捉住了梅林,另一只又来抢夺。

两只大猿你抢过来,我夺过去,只一会儿工夫,梅林就被换了几次手。她被这两只大猿弄得天旋地转,有时还挨到几下冤枉的冷拳。有一次,拳头来得太重了,她竟被打得晕了过去。那挟着她的大猿见她已软瘫无力,不再挣扎,便把她丢在一边,全力去对付另一个。这次两只大猿打得非常厉害,小猴儿见好朋友梅林被打得晕在地上,急得在树上乱叫乱跳,但又不敢下来救她,鸟儿们也惊得在空中飞着叫着。

尽管远方有狮子的吼声传来,两只大猿像根本没听到一样,照旧在拼命对打,一会儿滚在地上,一会儿又都爬起来,抓着、咬着,弄得一地都是血迹。最后,两只大猿都跌倒在地上,站不起来了,也没有再打的力气了。到最后,身材更为高大的一只取得了胜利,等它歇够了,从地上爬起来的时候,另外一只已经死了。它把身上的毛抖了一下,缓缓地发出了一声长啸,然后在死猿和梅林之间仔细地闻着。它那一声长啸,把小猴们吓得东躲西藏,鸟儿们也惊得飞散了。

那大猿又来到梅林身边,把她身子翻过来,蹲下去,在她胸前、脸上,闻闻听听,最后断定她没有死,就准备把她挟走。这时那群小猴儿又回来了,它们成群结队,蹲在树上,七嘴八舌地辱骂大猿,大猿抬头望了望它们,龇牙咆哮了一阵,见无法把小猴儿们彻底赶跑,知道它们也不敢向自己进攻,就索性不再理它们了。它把梅林扛在肩上,跳上树去,穿过丛林走了。那群小猴儿远远地跟着它,又叫又骂,但终究没起到任何作用。

十一
猿 王

哥鲁克打猎回来,老远就听到小猴子们激动的、不正常的叽叽叫声,他预感到出了什么事。开始他以为它们群中的哪一只被蛇缠住了,它们无能为力,所以才这样叽叽地叫。他循着乱叫的猴群找去,一直找到梅林的篷屋下面,也没见哪只小猴遇到了危险。他有些疑惑不安了:莫非梅林出了什么事?不会吧?自己和阿库特常常出去打猎,只留梅林一个人在家,从来没出过什么事,况且,梅林自己也学会了不少自卫的招数了。他边猜测着,边急忙把打获的猎物放在梅林篷屋的树下,高声喊叫她的名字,篷屋里没人答应。他又在树的周围叫喊着,树林中也一片寂然,没有回应。他又跳到篷屋下面的树丫间,在枝叶浓密处去找,以为她有意藏起来,跟自己开玩笑,但无意间在梅林常玩耍的树杈处,见到了基卡被丢在那里。这下他才觉得八成是出事了,梅林一向深爱基卡,从不肯离开基卡独自走开的。哥鲁克这时才真的焦急起来,拾起基卡,塞在腰带上,又大声呼喊了一会儿,仍然没有梅林的应声。他抬头远望,忽然发现小猴子们的惊叫声渐渐远去了。

哥鲁克忽然灵机一动,小猴惊叫着跑去的方向,也许与梅林的失踪有关。他知道阿库特现在还落在后面,就不等它回来,一个人跳上树去,朝小猴儿们惊叫的方向追去,不一会儿就被他追上了。小猴儿们见了哥鲁克,如同见到了救星一样,一边尖声叫着,一边指着前面,哥鲁克就朝它们所指的方向又往前追。远远看见一只大猿,扛着一个四肢无力的女孩子在前面飞跑着。哥鲁克心里突然一紧,怎么,梅林死了吗?到这时他才意识到,自己对梅林的感情已经很深了。见大猿扛着没有知觉的梅林,他悲愤交加,第一次明确地感觉到,自己的内心世界不知道从什么时候起,已经被梅林占据了,她给他的生活带来了光明,她是他的太阳,他的月亮,他的星星……如果失去了她,他的温暖、他的愉快也都没有了。这时他心乱如麻,不由得发出了一声极端凄厉的、比野兽还凶猛的咆哮声,飞奔着向大猿追去。

大猿听得身后有咆哮声,转头一看。它这一转头,哥鲁克看清了它,原来是他认识的,就是那晚在圆场登登舞会上被庆贺当上新王的那只大猿。

大猿见有一只白猿紧紧追来,就把梅林放在地上,回身准备应战。猛一看,这只白猿身材比自己矮小,它有点轻敌了,以为很容易取胜。仔细一看,也认出了哥鲁克,自己升任新王的那天晚上,被哥鲁克一脚踢倒在地,在子民面前大失了威风。见追来的又是这只白猿,真是仇人见面,分外眼红。它想今天这只白猿独自追来,正是自己报仇的好机会,非好好收拾他不可!于是大猿便低着头,直扑上来。哥鲁克也迎上去,两个厮打起来,倒在地上,滚作一团。哥鲁克因为心里又急又乱,竟忘了用猎刀,只凭着一双铁钳一般的手和一口利齿。他没等大猿扑过来,早已反扑过去,将大猿紧紧抓住,扭住大猿的脖颈,用力一拧。

这时梅林也缓过来了,睁开眼睛一看,见哥鲁克已扭住大猿,她高兴地跳起来说:"哥鲁克!哥鲁克!我知道你会来救我的。杀了它!哥鲁克!杀了它!"

她眼中已没有了恐惧,闪着喜悦的光,跳起来奔到他身边,喊着为他助威。她瞥见哥鲁克的长矛抛在一边,就走过去拿在手里,决心助哥鲁克一臂之力。这时她死里逃生,竟完全没有了畏惧,心里十分激动,头脑却异常冷静。她的哥鲁克来救她,现在她已没有危险了,满可以跳上树去,旁观他们战斗。可是有一种莫名的力量支持着她,使她不愿这样做。她举起哥鲁克的长矛,直向大猿刺去,刺中了它的胸部。哥鲁克知道大猿不是被梅林刺死的,因为在梅林刺中它之前,大猿的喉管已经被自己扭断了。

哥鲁克站起身来,非常温柔地向梅林致谢,感谢她在最危险的时候帮助了自己。平时哥鲁克和梅林相处惯了,似乎没怎么专注地看过她,此时他端详着梅林,忽然觉得她比任何时候都更加美丽。他和她仅仅分开了几个小时,她怎么竟有如此神奇的变化呢?似乎一下子成熟了。这使哥鲁克不由得用一种新的眼光来看梅林。林莽中没有日历,梅林离开蛮村到底有多少日子了?哥鲁克也记不起来,他现在好像突然发现,站在面前的这个婷婷少女,与在村边大树下和基卡喁喁细语的那个小姑娘,似乎是截然不同的两个人了。他怎么从来没注意到,梅林什么时候起竟从一个天真的小姑娘发育成一个少女了呢?他久久凝视着梅林,又看看已死的大猿,仿佛隐隐明白了些大猿要绑架梅林的意图。他气得眯起了两眼,咬着牙凝视了一会儿大猿的尸体。等气平了之后,他不自觉地已是用成人看少女的眼光,来叹赏地看着梅林了,他自己的脸上也不禁泛起一阵红晕来。

阿库特正好在梅林刺中大猿的时候赶到了,这只老猿别提有多兴奋了,它在躺在地上的大猿尸体周围高视阔步,露出一副威风无比的样子,把上唇向上翘起,颈后的毛也直立了起来,对站在旁边的梅林和哥鲁克看都不看一眼。已死的大猿的气味和样子,使得一些久违的感觉似乎又回到它身上来了。从表面看,这像是一种野兽的愤怒,实际上在它脑袋的深处,却是一种极度的兴奋。它虽然凶猛地长啸着,心里却在翻腾着一种莫名的感情,它渴望见一见它的同类,甚至希望置身在猿群中,享受一下猿类应享有的感情生活。就像原来哥鲁克总想找人类做伴一样。

从梅林这方面来说,她是个女性,女性的感情本来是比较细腻,她原先就很敬爱哥鲁克,和他像兄妹一样相处。她希望和他在一起,在她心目中,没有人比他更勇敢、更英俊,她庆幸有这样一个好哥哥。这时哥鲁克走到她跟前,眼里流溢着一种从未有过的光辉,她也看着他,但她不明白此时他心里在想什么。

"梅林!"他低声叫着,把手放在了梅林的肩上。

"梅林!"哥鲁克又叫了一声,把她紧紧地搂在怀里。他看着她的脸,含着微笑,慢慢低下头来,第一次轻轻吻了她的嘴唇。但她还是不明白哥鲁克的内心变化,她只觉得他以前没这样待过她,她感到很愉快。只以为哥鲁克因为她没被大猿抢去,得以重聚而高兴吻她,她也喜欢他吻着她,于是用手臂揽住哥鲁克,接连和他吻了几下。过后,她瞥见基卡在哥鲁克腰里,她把基卡也抢过来吻着,好像刚才吻哥鲁克一样。

此时,哥鲁克似乎有许多话要对她讲,他感到自己非常非常地爱她,一股从来没有过的感情在胸中涌动,心潮起伏澎湃,千言万语不知从何说起,更何况猿语过分简单,怎么能表达这么复杂而细腻的感情呢?

忽然,阿库特发出一声低低的咆哮,比刚才见了死猿时声音轻些,却明显地含有警告的意味,顿时把哥鲁克从柔情的迷醉中惊醒过来。哥鲁克把目光从梅林脸上移开,他的听觉、嗅觉、视觉立时恢复了平日的敏锐,全神贯注地听了一会儿,知道有什么东西向这里来了。他走到阿库特身边,梅林也不自觉地在他身后跟过来。他三个静静地站着,望着浓密的丛林,那声音越来越近了。突然,有一只大猿从草中钻出来,离他们站的地方只有几步路,咆哮了一声,在它身后,竟还有二十多只大猿,雌雄老少都有,原来这就是已死的猿王的那一族。阿库特指着死猿,大声对它们说:"你们的王,被这位英勇善战的哥鲁克杀死了。在丛林中,再没有比哥鲁克更伟大的了,哥鲁克是泰山之子,现在他就是你们的王了!还有哪一个敢出来争夺王位?"

阿库特是怕大猿们不服,于是先站出来替哥鲁克向它们挑战。那群大猿商量了一阵,最后,推举出一只年轻的大猿,要和哥鲁克决一胜负。那年轻的大猿站在那里摇着摆着,喉中发出猛烈的咆哮声。

这头猿既高大又狰狞,正是年轻力壮的时候,它所属的种类在森林中已很稀少,白种人常到丛林中去向当地土著探问,怎样才能保护它们这个品种,但它们藏得极严密,当地土著也很少能见到。

哥鲁克往前走了一步,也咆哮着。他已想好了办法,看这大猿体力极强,如果用通常的办法,先扑上去,倘若被它抱住,不但没有取胜的可能,而且十分危险。于是他想了个必胜的战术。那猿见哥鲁克远不如自己高大,也看不出他有什么惊人的特点,心里已有几分轻敌,所以急于进攻,只要能够取胜,它就可以称霸于这片丛林了。

那大猿张开前爪,露出利齿,像火车头一样带着一阵风。哥鲁克纹丝不动,直到它奔到自己跟前,伸出爪子要抓时,哥鲁克很快地往下一蹲,举起右拳,对准它的下巴猛力一击,同时迅速地跳到一边。那猿扑了个空,向前重重地跌了一跤。它冷不防挨了这一拳,扑倒在地,口中吐着白沫,两只小眼睛都发红了,鲜血已从嘴里流到前胸,但它绝没有因此而认输的意思。哥鲁克站在一旁等着,等它爬起一半的时候,又是一记重拳,再一次把它打倒。就这样一连几次,不等它爬起,就又把它打倒。猿的气力渐渐弱了,哥鲁克的拳却是一次比一次有力。最后,猿被打得满脸满胸都是血,鼻子也破了。开始时其他大猿还为它呐喊助威,现在看它倒在地上起不来,都反过来赞美哥鲁克了。

"你服了吗?"哥鲁克问它,那猿不出声,眼睛斜睨着哥鲁克,哥鲁克见它不服,又是狠狠地一拳,这下打得那大猿动弹不得了,哥鲁克又逼问它服不服输。它没法了,只好说:"我服输。"

哥鲁克说:"既然这样,你就爬起来,和你的部族一起回去。我不打算做你们的王,你们从前曾驱逐过我。从今以后,我们各守自己的地盘,互不侵犯,我们可以做朋友,然而我不能和你们住在一起。"

这时,有一只老猿慢慢地走到哥鲁克跟前,说:"我们原来的王已经被你杀死了,第二个和你交手的,如果它赢了,也可以做王,而现在你把它打败了,你要是想杀它,是很容易的,然而你饶了它。现在,问题就出来了:谁做我们的王呢?"

哥鲁克转过身去,指着阿库特说:"它可以做你们的王。"

阿库特却不乐意,它虽然希望和自己的同类在一起,但不愿意离开哥鲁克。它的意思是和哥鲁克一同去,于是,它把自己的想法向哥鲁克说明了。

哥鲁克考虑到梅林,不免踌躇起来。他们如果住进猿群,有阿库特在,自然没什么,万一阿库特出去了,剩他一个人保护梅林,恐怕就不容易了。大猿不管怎么通人性,到底是异类,性情很难揣摩。如果自己也出去游猎了,丢下梅林一个人在猿群中,总不是个办法。即使公猿不起歹意,也难保那些母猿不因梅林特有的服饰而欺侮她。假如梅林发生不测,如何是好?想了一会儿,他说:"我和梅林住在你们邻近,如果你们要迁移,我们也跟着搬走。梅林和我不能分开,也绝不能和你们住在一起。"

阿库特对这样的安排并不满意,它实在不愿意离开哥鲁克,它的愿望是,和哥鲁克及大猿群都不分离。后来那群大猿对他们这种委决不下的商议有些不耐烦了,不愿再等,就三三两两地重回丛林去了。那个前王的母猿年纪很轻,刚才见阿库特有可能继承王位,很有些赞许的神情,阿库特也把这一点看在眼里了。这只母猿见其他大猿纷纷离去,它跟在队伍的最后面,可是仍有恋恋不忍离去的神色。阿库特看了看哥鲁克,又看了看那只母猿,最后,还是跟那母猿进入丛林中去了。

且说梅林被两个大猿劫持那天,哥鲁克和阿库特又去黑人村落里劫掠了。他们抢劫完走了之后,那个被抢的女人大叫起来,村落中其他的妇女多数都吃过哥鲁克的亏,或被剥过衣服,或被抢过装饰品,于是也跟着哭叫起来。这一下,全村散在林中河边的武士都跑了回来,一问,才知又是那白色魔鬼冲进他们村,惊吓了他们的女人,抢走了毒箭、食物、饰品等等,他们都怒气冲冲。他们早就想铲除这个白色魔鬼了,只是见他平日总和一只大猿在一起,出没丛林,行踪不定,实在有些害怕,都不敢动手。这次他们实在恼怒,下了决心,挑选了二十多个精壮的武士,趁哥鲁克和阿库特的足迹还明显,顺着足迹直追下去,准备同心协力,把这个恶魔除掉。

哥鲁克和阿库特走得很慢,因为他俩抢掠过多次,都没见有人追赶过来,便以为那些黑武士都是无用之辈,不值得防范。而且他们走的又是上风,自然察觉不到后面有人追来。

这一小队武士由一位叫柯夫杜的中年酋长亲自率领,此人智勇双全。等到这支队伍追到哥鲁克时,恰巧遇到他们刚刚杀死了猿王,阿库特和梅林就站在死猿旁边。柯夫杜看见那亭亭玉立的白种少女,注视了好久,不觉吃了一惊。过去柯夫杜也听说过,附近的阿拉伯老酋长为了复仇,曾绑架过一个小姑娘,表面当女儿,实际常常拿她出气。现在他暗想:一向没人注意的那个受气的小丫头,就是她吗?什么时候她出落得这样漂亮了呢?当时他就命令部下暂缓进攻,就在这时,那群大猿一窝蜂地来了。黑人们只好躲在一边,偷看着哥鲁克和大猿决斗,看他战胜了大猿,都吓得不敢出声。

等到大猿都走了之后，丛林中只剩下哥鲁克和梅林，柯夫杜部下的一个黑人指着梅林手里的玩偶，附着酋长的耳朵低声说："你看，当年还是我和我哥哥给老酋长的女儿做了那个玩偶，她后来还把我哥哥的名字安在玩偶上了，也叫它基卡。有一天，曾有一个白人打倒了老酋长，抢走了他女儿，这个女子肯定就是老酋长失去的女儿。假如我们把她送还给老酋长，他一定会重赏。"柯夫杜听了这番话，更确定这个少女就是老酋长掳来报仇的所谓女儿了。

哥鲁克以为四周再没有别人了，于是又用手臂搂住梅林，这时，他心潮起伏，自从离开文明社会就一直跟随在自己身边的阿库特，也回归到猿群中去了，茫茫丛林中，只有梅林是自己唯一的亲人了。这时，他觉得文明社会在自己记忆中渐远渐淡，就是伦敦，在他心里也像古罗马的废墟一样了。此时，仿佛整个世界上只剩下了两个人——哥鲁克和梅林。他紧紧抱住她，用热吻盖住她的红唇。突然在他们身后，一声呐喊，蹿出二十多个精壮的黑武士。

哥鲁克回身迎战，梅林也抓起长矛帮助他。黑人的毒箭像飞蝗一般射来，有一支射中了哥鲁克肩部，另一支射在腿上，他挣扎了一会儿，终于支持不住倒下了。梅林一点也没受伤，这是黑人有意不伤她。哥鲁克已经倒下，梅林就被他们擒去了。幸而在这千钧一发之际，阿库特带着它的部下冲回来援救，黑人们才无暇再伤哥鲁克。柯夫杜知道自己的队伍不是大猿的对手，赶紧抓住梅林，命令武士们退却。大猿们赶上去，咬死咬伤了几个。猿群还想再往前追，阿库特却阻止了它们，因为它急于看一看哥鲁克的伤势到底如何。在这种情况下,它是不会急于去抢救梅林的。

哥鲁克流血过多,已经晕过去了。阿库特替他拔去毒箭,舔着他的伤处,把他抱到梅林住过的旧篷屋里,给哥鲁克治伤,除了舌舔,再没有第二个方法了。大猿自己的伤,世世代代也都是这样治疗的。幸而哥鲁克身体健壮,没有因此送命。几天之后,他却又发起烧来,阿库特和它的部族怕有飞禽走兽来侵害他,总在附近游猎,时时留一个大猿在树上看护他。阿库特还知道病人发烧的时候一定非常口渴,所以每天都采些多汁的水果给哥鲁克解渴。哥鲁克的伤势渐渐好起来,但心里却十分焦急,梅林生死未卜,他一心想去救援,却不知她在哪里,又不知黑人会怎样对待她,他知道柯夫杜部落是吃人的蛮族,梅林会不会遭了他们的毒手呢?每每想到这里,他都会不寒而栗起来。

生病的日子最难熬,哥鲁克怀着殷切的希望,觉得每天都格外漫长。不久,他居然可以不用大猿扶持,自己下地走路了。接着,他又可以吃生的肉食了。阿库特经常为他猎取些新鲜的肉来吃,他的精神、体力渐渐恢复了常态,觉得可以去救梅林了,于是别了阿库特,往黑人的村落走去。

十二
失败的救援

有两个身材高大的长着黄色胡须的人，从河边的帐篷中出来，小心翼翼地往丛林中走去了。这两个人就是詹森和马尔宾，也就是几年之前，哥鲁克想向他们打听往海岸去的路径，却被他们用火枪驱逐过的那两个白人。他们每年都去丛林，和土著人做生意，遇到软弱可欺的，也进行一些抢劫，顺便用捕兽机逮点猎物，运回欧洲销售。他们对这里的路非常熟悉，有的时候可以给别的白人作向导。但是对于梅林住过的那个阿拉伯酋长的村落，不敢再去侵扰。离那个村落较近时，他们就绕道而过，以保安全。现在他们住的地方与柯夫杜的村落较近，这样有两个好处：一是四周荒僻，素无人迹；二是阿拉伯酋长欺软怕硬，对柯夫杜部落，也畏惧三分，他们可以借柯夫杜部落的威势保护自己。

来此之前，他们与欧洲的一个动物园订了契约，要捕些动物卖给他们，因而带了捕兽机来。前几天他们已经选好地址，下了机子。今天他们抱着很大的希望，想逮一只大狒狒回去卖钱，因为他们早已留意过，这一带是狒狒经常出没的地方。一走进林子，他们就听见了一阵叫闹声，仔细听去，就是狒狒的声音。他们暗暗欢喜，估计一定有一头狒狒落入了牢笼，一群狒狒想营救他，苦于找不到办法，吱吱乱叫，才形成了这一片嘈杂声。他们急切地往前走去，果然有一只大狒狒落入了捕兽机，在里面咆哮着，外面有上百只狒狒，在围着笼子转。

这时詹森和马尔宾的注意力都在捕兽的笼子上，他们俩和狒狒群都没觉察到，在树上枝叶浓密处，有一个半裸青年伏在那里，注视着这两个白人和一群狒狒的行动。他就是伤愈出来的哥鲁克。

哥鲁克虽住在丛林中，却从不跟狒狒打交道，只是因为狒狒语言与大猿相近，所以尽管有时碰面，也各不相犯。但狒狒每次见了阿库特，往往有敌意，这未免引起哥鲁克反感，加之这次急于要去救梅林，不愿多耽搁时间，所以见狒狒王落入笼子，他只是看看热闹，本不想去救它的。哥鲁克眼尖，无意间瞥见隐伏在草丛中的两个白人，有点似曾相识之感，他惊奇起来。这两个人是谁呢？他们要干什么？他好奇地想探知究竟，就轻轻跳到接近草丛的一株高树上，向下仔细一看，他认出来了，这不就是几年前用火枪驱逐过自己、伤透了自己心的那两个人吗？这一下，他不由得怒上心头，暗想绝不能放过他们，非报复一下不可，于是，他更加注意他们的行动。

他看见他们忽然站了起来，高声喊叫着，向兽笼走去，看样子，他们是想吓退四周的狒狒，但那些狒狒急于救自己的王，都不肯逃散。其中一个白人举起来复枪，向咆哮着的狒狒群放了一枪。哥鲁克以为狒狒一定会反扑过来，谁知，许多狒狒竟被吓呆了。那白人又放了第二枪，竟把狒狒吓得都逃到树上去了。这两个人见狒狒散尽，就走到铁笼旁边，哥鲁克猜想他们一定要加害狒狒王了。他注意地寻找着最合适的出手时机。哥鲁克虽然对狒狒没有感情,此时却不免替狒狒王不平起来,狒狒并没有伤害这两个人,可这两个家伙分明对狒狒王怀着歹意,加上他和这两个人有宿怨,哥鲁克决心救那狒狒王了。他见狒狒群还远远在林中,便用猿语对它们高声喊叫:"我是哥鲁克,这两个白人是我的仇人,也是你们的敌人。现在,我愿帮助你们救出你们的王,你们听我的命令,我从这边动手,你们也从那边出来,我们联合起来攻击他们,把他们驱逐出境,救出你们的王!"

詹森和马尔宾听到背后又有声音,他们不懂猿语,以为又是狒狒在叫唤,回头找了一阵,又没发现隐藏在树上的哥鲁克,所以并没介意。

狒狒们却听懂了哥鲁克的话,非常高兴,异口同声地说:"我们愿意照你所说的去做,哥鲁克!"

哥鲁克立刻跳下树,向詹森和马尔宾扑去,同时,那边几百只狒狒也跳下树,声势浩荡地向这两个白人扑过来。詹森和马尔宾看见一个半裸白武士举着长矛杀来,急忙举起来复枪,对哥鲁克射击。但他们腹背受敌,心慌意乱,根本无法瞄准,一枪也没打中,子弹倒浪费了不少。背后的狒狒群又像潮水一样涌来,两个人知道情况不妙,来不及再开枪,只好把枪当棍子用,挥舞着往外冲,狒狒群在后面追着。这时他们只顾得逃命,再也顾不上笼中的猎物,两个人抱头鼠窜逃回丛林中去了。哥鲁克让那些狒狒去追白人,自己走到困住狒狒王的笼子前,轻轻一拨机关,笼门就开了,放出了狒狒王。那狒狒王来不及谢哥鲁克,也向丛林追了过去。哥鲁克知道,狒狒们受了大恩,是绝不会忘记的。哥鲁克并不指望它们报答,因为他之所以救狒狒,完全是为了报昔年之私仇。他侧耳一听,人声兽声,在前面喧闹成一片,大概白人的援兵已到,正和狒狒们激战。哥鲁克不想再管这件闲事,继续向柯夫杜的村落走去。

在路上,哥鲁克经过一个没有树的广场,是往柯夫杜村落的必经之路。广场中站着许多大象。哥鲁克很喜欢在树上腾跳,从这株树跳到那株树,或抓住一个枝条,像荡秋千一样荡过去,这样可以锻炼臂力,也非常好玩。他还喜欢在高树上行走,没有阻碍,也没有危险,在枝叶茂密的地方,还可以跟树下的野兽们开开玩笑。今天由于急着赶路,又没有树可走,非从象群中穿过不可。大象都扇着大耳朵,摇晃着长鼻子,摇摇摆摆,悠闲自在。哥鲁克矮小的身体穿行在巨象群中,好像大海中一叶浮萍。有一头大象闻到了气味,举起长鼻子哼了一声,警告同伴,有人来了。哥鲁克是认得它们的,怕引起误会,就高声喊道:"别乱!吞特!我是白猿哥鲁克!"

大象听了,都放下了鼻子,因为这声音是它们熟悉的。哥鲁克走到象的跟前,大象还把长鼻子伸过来,温和地在他身上嗅着,像打招呼一样,表示亲热。哥鲁克也拍拍它们的巨肩,说几句话才走过去。在丛林中住了这些年,他和象相处得最好,林中所有的动物里,他最爱象,因为象对待朋友非常平和,对待敌人却很凶猛,善良的羚羊和大象最友善,但号称"林中之王"的狮子却不敢惹大象。哥鲁克走在象群里,像畅游在友谊的海洋里。只有一头小象有点调皮,和哥鲁克闹着玩,用鼻子卷住他的腿,让他跌了一跤。

哥鲁克到达柯夫杜村子的时候，天色已经黑了。这时他就视觉、听觉、嗅觉并用，一边探视着，一边沿着茅舍屋檐的黑影处走。他找了好几个地方，都没找到梅林，最后终于在一间茅舍边嗅到了梅林的气味。但他不能冒冒失失地去看个究竟，只好等待机会。那茅舍外有一个哨兵在把守，他坐在茅舍门前，面前烧着一堆篝火，背向着哥鲁克，火光被他遮住了，只剩了一线光亮。哥鲁克小心地潜行到茅舍的墙根，用鼻子嗅着，慢慢接近门口，知道梅林就在里面。但在稍远处的大道上，还有许多武士，在火堆的另一边坐着，他们的妻子在走来走去煮饭做菜，门边却只有这一个哨兵。那些武士离哨兵的距离有六七十尺。哥鲁克在冷静地思忖着，他要进那茅屋去，到底是杀了那哨兵好呢，还是悄无声息地溜进去好。杀那哨兵未免太莽撞，因为会惊动对面那些武士，难保他们不冲杀过来，但是，溜进去也不容易。哥鲁克观察了一下，那哨兵的背部和门之间的距离，只有一尺左右，哥鲁克如果侧着身体，是勉强可以挤过去的，只是怕火光照过来，稍不小心，会被对面那些武士看见。哥鲁克又仔细观察了一阵，见那边武士们正聊天聊得起劲，声音很高，且他们坐得参差错落，有几个人正好挡住了火光，如果谨慎一些，看准时机，趁他们没人抬头往这边看的时候，说不定能侥幸溜进去。

　　打定了主意，哥鲁克就背贴着墙，一步一步向门口轻轻移去，慢慢地靠近了哨兵的背后。眼看快要成功了，他已能感到那人背上的热气，呼吸声也能听见了。哥鲁克稍停了一下，那哨兵仍旧坐着，并没察觉有人已到了他身后。哥鲁克知道此时处境十分危险，动作稍一不慎，就会被哨兵发现，只有半寸半寸地慢慢蹭过去。可是,怎么也没想到,那哨兵恰好在这时困了,打了个大哈欠,两手伸到头上,伸了个懒腰,想往后坐一坐,靠在门框上歇一歇。本来守兵是不准打瞌睡的,但他实在乏极了,心想睡一小会儿,也不见得会出事。说时迟,那时快,守兵的头向后一靠,哥鲁克没料到他这一手,躲闪已经来不及了。守兵感到靠到的不是门框,却是一个人的腿!他刚要大叫,早被哥鲁克的一双铁手卡住了喉咙,一点儿声音也发不出来了,只觉得脖子上的手指掐得越来越紧,最后眼珠突出,脸色也变成乌紫。守兵原想小睡一会儿,这下却永远醒不来了。哥鲁克把他的尸体扶起,仍让他靠在门框上,从远处看,像没发生任何事一样,似乎他仍在守门。哥鲁克迅速走进茅舍,轻轻地叫着:"梅林!梅林!"

"哥鲁克!我的哥鲁克!"

黑暗中有人低声回答,正是梅林的声音。哥鲁克怕有人听见,低低地告诉梅林不要说话。他在黑暗中找到梅林,替她割断捆绑的绳索,向外听了听,没有什么异常的声音,他俩就挽着手走出了屋门。

外边那个死哨兵还倚在门框上,有一只狗正在闻死人的脚,那狗看见他俩从茅舍出来,先是发出呜呜的声音,后来闻出是生人的气味,就狂吠起来。这下可惊动了火堆那边的黑武士,都转头向这边望,哥鲁克知道不好,急忙拖着梅林,向茅舍的黑影处躲去,可是已经太迟了,黑武士已经看到了他们,十几个人一齐赶过来,那狗也追着哥鲁克乱叫。哥鲁克想用长矛刺死那狗,可是那狗受黑人攻击惯了,东躲西闪,始终刺不着它。

村落里的黑人听到狗叫,又听到黑武士奔跑的脚步声,大家都跑出来,想看看到底出了什么事。他们首先发现了守兵已死,接着就察看茅舍,知道里面的俘虏逃跑了。这时所有的黑人都又怒又怕,就簇拥着黑武士,朝着狗叫的方向冲来。追到屋边,远远看见一个半裸白种武士拖着他们抢来的女子逃跑。他们认得这白武士就是常来他们村抢劫东西的白色恶魔,这下,他们更是仇人见面分外眼红了,无论如何,都想把这个白武士捉住。

哥鲁克见他们追来,就把梅林扛到肩上,向树边奔去。他本想跳上树跑出村去,毕竟肩上扛着一个人,行动不那么便捷,本来梅林也能在树上跳跃如飞的,无奈她的手脚被捆绑了几天,到现在还麻木着,所以只有靠哥鲁克扛着了。哥鲁克一面抵御追兵,一面又要扛着一个人逃跑,当然十分吃力,速度也慢得多。才到树下,一群狗听到第一只狗的叫声,再加上黑武士的呐喊声,它们也都跟着一齐狂吠起来。哥鲁克被它们拖倒在地,他正想爬起来,黑武士们已经一拥而上了。

有两个黑武士先抓住了梅林,她用指甲和牙齿抵抗,被一个黑人一拳打晕,倒在了地上。哥鲁克身上没有了重负,自然勇猛起来,很快一跃而起,在黑人和恶狗的围攻下,左冲右突,东挡西杀,没有人能近他的身。他对付狗群非常轻松,凡扑上来咬他的,被他一把逮住,立刻拧断了脖子。这时有个黑武士,拿了一根乌木圆棍,从他身后打来,哥鲁克听到了脑后的风声,旋风般转过身来,劈手把棍夺到手,迎面一拳,把那个黑武士打了个半死。哥鲁克发起威来,几乎跟大象一样勇猛无比,舞着长矛,向黑人冲去,把黑人们打了个落花流水。几次他都差一点杀到梅林跟前,柯夫杜见采取攻势不能取胜了,恐怕梅林被他劫去,就吩咐部下采取守势,重重围住梅林,不让哥鲁克攻上来。

哥鲁克几次冲锋,黑人都以逸待劳,用长矛把他刺得倒退下来。不多一会儿,哥鲁克浑身上下已有好几处被长矛刺伤,血流满身。他觉得孤军奋战不容易成功,实在支持不住了,看来,这次救不成梅林了。他忽然心生一计,用猿语高声叫着梅林,这时梅林已经苏醒过来,听到哥鲁克叫她,也赶快用猿语答应。只听到哥鲁克叫道:

"梅林!我暂时走了,但我还是要来救你的,我要去找大猿来。再会!我的梅林!你设法保护好自己,哥鲁克一定来救你!"

梅林也用猿语回答:"再会!梅林等着你回来!"

他们这些对话黑人根本听不懂,也来不及阻挡哥鲁克,只见他一转身,就跳上了枝叶浓密的树,跳出了蛮村的高栅。黑人的长矛像骤雨一样掷上树来,但是在黑暗的丛林里,他们根本看不见目标,只听见从远处传来的哥鲁克的一阵大笑。

十三
昂贵的人质

梅林又被捆绑起来,这次却被更严密地看守在柯夫杜自己的茅舍里了。她眼看着黑夜过去,新的一天来到了,却不见哥鲁克来救她。她并不怀疑,她坚信他一定会来,一定可以救她脱险。她把哥鲁克看得很神圣,在她生活过的蛮荒世界里,再没有人比得上哥鲁克的健美和英勇,她崇拜他的英雄气概,也感激他对自己的体贴入微。

现在她非常想念哥鲁克,人们常说"积思成梦",实在是不错的,这一段时间以来,哥鲁克常常出现在她的梦里。在被囚禁的日子中,她什么事也做不成,只有静静地思来想去。她常把哥鲁克和阿拉伯酋长——她的父亲作比较,一个是那样关怀备至,一个是那样无情虐待,简直有天壤之别。她甚至觉得酋长从前对她的种种虐待,比面前这些蛮族还要凶狠。至于这些蛮族为什么要把她囚禁在这里,她一点儿也不知道。但她知道面前的这些黑人是吃人的蛮族,却不见有人来杀她吃她,觉得非常奇怪。她当然不知道,柯夫杜已经派人去报告阿拉伯酋长,叫他来赎回他的女儿。但有些节外生枝的情况,连柯夫杜也被蒙在鼓里,阿拉伯老酋长再不会来赎他的女儿了。原来柯夫杜派出去给老酋长送信的那个飞毛腿,经过詹森和马尔宾的营地时,在那里休息了一会儿。他和那里的土人闲聊,谈起了自己去送信的原委,被詹森等人知道了。詹森快活得什么似的,觉得这真是踏破铁鞋无觅处,得来全不费工夫。当那报信的飞毛腿出去的时候,马尔宾从背后开枪把他打死了。

马尔宾打死了送信人之后,恐怕自己的手下有人到柯夫杜那里去报告,故意托词说自己在林中射鹿,没射中,鹿跑掉了。他知道部下都非常怨恨自己,遇到机会,有叛变的可能。原来,马尔宾心里有着不少忧虑和恐惧,他的枪弹不多,部下又不可靠,他本想和那吃人部落的老酋长决斗,估计一定要吃败仗。接着又发生了哥鲁克放走狒狒王,和狒狒群打了一仗的事。那天幸亏哥鲁克中途走了,没有帮着狒狒来打。光是对付狒狒,大家合力射击,才吓退了它们,又损失了不少子弹。事后他还担心哥鲁克领着狒狒会来踏平他的营地,因此,他非常怨恨哥鲁克。有一天,马尔宾对詹森说:"那个白人,恐怕就是几年前被我们用枪赶走的那个人,当时他的伙伴是一只大猿。打狒狒那天,你看清楚了没有?詹森!"

詹森回答说:"我看得很清楚,我开枪的时候,他离我还不满五步。他好像是一个标准的欧洲人,还是个未成年的孩子。非洲疯人院里虽然常有疯子逃出来,光着身子住在树林里,但那孩子不像这种人。如果再见到他,无论如何也要把他杀死,因为他已经知道我们的踪迹了。"

逮狒狒那天,他们在营地是作了准备的,等了好久,没见哥鲁克领着狒狒来进攻。但是在几天之内,他们一直提心吊胆。

过了几天,这两个瑞典人起程到柯夫杜蛮村去,他们的目标完全在梅林身上。几年前,他们为了梅林,曾受过阿拉伯酋长的恐吓,事情泄了密,几乎送了性命。现在到柯夫杜那里,估计柯夫杜没有那么大的戒心,可能事情会好办些。他们到了柯夫杜村落,表面仍装着做生意,以物易物,交换之外,也送柯夫杜一些礼物。实际上,所谓的礼物,在生意中也都赚回来了。宾主双方坐下来闲谈,彼此说些路上的新闻,但都没有提及梅林的事。看柯夫杜的神色和语气,都有急于送客的样子。可是,他们假装没看出来,赖在那里,坐着不走。在谈话中马尔宾还故意扯了一个谎,说阿拉伯酋长已经死了。柯夫杜听了非常惊讶,他和他的部下都没听到这个消息。

马尔宾说:"你没听说吗?这才真奇怪了!已经是上个月的事了。那老酋长从马背上摔下来,伤势很重,等到他的部下赶到时,已经没救了。"

柯夫杜失望地搔着头皮,他听马尔宾说得入情入理,信以为真,既然如此,自然不会有人再来赎梅林了,那一笔赏金也就没希望了,现在的梅林对他来说已经没有价值了。他在想着下一步该怎么办:要么吃掉她,要么让她当个小老婆。这后一个念头忽然提醒了他,他在心里暗暗转着主意。这时正好在他面前的地上有一只小甲虫在爬,他向它吐了一口唾沫,又抬起头来呆呆地把马尔宾看了一阵。他心里暗想:这些白人也真古怪,为什么远离故乡,又没有妻室呢?听说白人也照样爱女人,只是不知道他们爱到什么程度,肯不肯花大价钱来买?如果能把梅林卖出去,自己也可以从中捞一笔。想到这里,他想不妨先探一探口风。他冷不丁地问马尔宾说:"我知道附近有一个白人少女,假如你愿意买,我们是老朋友了,价钱可以便宜些。"

马尔宾耸了耸肩,欲擒故纵地说:"我们的麻烦已经够多了,还找那个累赘做什么?况且我们也知道你柯夫杜酋长,一向是不带着上了年纪的女人一起走的,要是让我们花钱买一个老……"马尔宾咬着手指头嬉皮笑脸地说。

柯夫杜不等他说完就说:"她很年轻,而且也很漂亮!"

两个瑞典人都高声大笑,詹森说:"谁不知道在丛林中绝不会有白种漂亮女人的?柯夫杜!你可不应该拿老朋友穷开心啊!"

柯夫杜站了起来,一本正经地说:"来!我愿意给你们看,保管不骗你!"

马尔宾和詹森也站了起来,跟在柯夫杜后面。他们彼此看了一眼,马尔宾向詹森使了个眼色,便跟着柯夫杜一同走进一间茅舍。在昏暗的光线里,好像有个女子被捆绑着。马尔宾上前看了看,转过身来说:"她恐怕有一千岁了!柯夫杜!"

柯夫杜说:"这可是胡说了!屋子里太黑,你看不清楚,她很年轻,等一会儿我把她带到屋外亮处来,保准你就不会这样说了。"柯夫杜立即吩咐看守梅林的两名武士替她解开绑绳,带到屋外。

马尔宾和詹森故意装出不急于要看的样子,其实他们俩都希望瞧个仔细呢。假如不是他们想找的人,他们会马上拒绝。所以他们必须给自己留个余地,不能露出猴急的样子。柯夫杜派出的送信人虽然说得有鼻子有眼,是否真实可靠,还是个问题。好在几年前看到过那女子一眼,现在见了,总还可以认得出的。

梅林被监禁在茅屋中已有多日,她虽然蓬头垢面,却像宝珠蒙尘,固有的光辉仍在。本来有几分好色的马尔宾见了她,差一点喊出声来,但他赶紧忍住了。柯夫杜问他:"怎么样?她不是又年轻又漂亮吗?我没骗你们吧?"

马尔宾此时还没忘了生意经,故作姿态地说:"她年龄虽不大,但带她一同走,实在有许多麻烦。我们远道而来,不是为了采买妻妾的,在我们家乡漂亮的女人可多了!"

他故意装出一副不愿买的样子,目的在尽量压低价钱。

梅林看着这两个陌生白人,她听不懂他们的话,在她眼里,他们和黑人一样,也是她的仇敌,她并不指望他们来救她。马尔宾用阿拉伯话对她说:"我们是你的朋友,你愿意跟我们离开这里吗?"

梅林踌躇了片刻,说:"我要恢复自由,要回到哥鲁克那里去。"

马尔宾说:"那你愿意跟我们走吗?"

梅林断然说:"不愿意!"

马尔宾回到柯夫杜跟前说:"你都听见了,她不愿意跟我们一起走。"

柯夫杜显出一副鄙夷的神色:"你是个大男人,难道不可以用暴力逼她走吗?"

马尔宾说:"这不是明明给我们添麻烦吗!不!柯夫杜,我真的不想买她,不过,假如你确实不要她在这里,我们可以勉强带走她,毕竟我们是老朋友了。"

柯夫杜知道他有意买了,双方就立刻讨价还价起来。最后,以六米花洋布、三枚铜弹、一把新的折刀为代价,梅林就从柯夫杜手里转到了瑞典人手里,双方都觉得很合算。柯夫杜还提出了一个附带的要求,叫他们第二天早晨立刻带她走,他对詹森和马尔宾讲了,曾有一个欧洲少年要来营救她,并把这件事的前后经过,都特意详详细细、清清楚楚地讲了。还说,据他的观察,那营救她的人一定还会重来的,为了安全考虑,还是尽快把她带走为好。

梅林仍旧被捆绑着,有人监视,但这次是在瑞典人的帐幕中了。马尔宾对她甜言蜜语,劝她跟他们同行,他告诉她,愿意护送她回故乡。梅林非常坚决地说,她宁死也不回阿拉伯酋长那里去。马尔宾为讨她欢心,立刻改口说不送她走,刚才的话不过是开玩笑罢了。他跟她说话的时候,两只贼眼放着贪婪的光,在梅林的脸上和身上乱转,仿佛恨不得一口把她吞掉。于是他走得更近了些,把捆着的绳索解开一部分,把手搁在她肩上。梅林吓了一跳,马上往后一躲。马尔宾实在按捺不住了,扑上去就要吻她,却被梅林狠狠踢了一脚。这时,恰巧詹森走进帐幕来,看到了这一切,他高声喝道:"马尔宾!你难道疯了吗?"

马尔宾听了,只好放下手,涨红了脸,从梅林身边走开。

詹森高声怒吼道:"你打算干什么?你忘了这是难得的机会吗?假如我们不好好待她,不但拿不到赏金,她那个当上校的父亲还会让我们坐牢!我真不明白,你在转什么念头,马尔宾?"

马尔宾无可奈何地说:"你别怪我,我也是血肉之躯呀!"

詹森说:"你只能忍一忍,当个木头人吧!等我们把她安全护送到家,把钱拿到手,那时随便你到什么地方去玩都可以。现在却不许你这样!"

马尔宾嬉皮笑脸地说:"现在有什么不可以?我们把她送到她父母家,送到了就领赏。她们一家骨肉团聚,高兴还高兴不过来,她还会说什么吗?何必这样胆小?"

詹森板起脸来说:"我说不可以就不可以。她若把途中受辱的事告诉了她父母,你我就没命了。以前好多事都是你说了算,这次可得由我做一次主了。你该放明白些,我说的并不错呀!"

马尔宾有几分愠色地说:"嘿!今天又这样假正经了,你以为我忘记你过去干的事了吗?店主的女儿,加上那小赛蕾拉,还有那黑姑娘……"

詹森说:"闭嘴!这不是假正经,也不是跟你无事生非,你若不把你自己管住,再敢对她动手动脚,休怪我心狠,我先杀了你!你以为我不敢吗?我们几年来亡命非洲,千辛万苦,多少次九死一生,不就是为找到她吗?现在好不容易天赐良机,让我们找到了她,靠了这姑娘,才能赦免我们的罪,后半生还可以安安稳稳生活。我再警告你一次,马尔宾……"

詹森一边说着,一边拍了拍腰间的手枪柄。

马尔宾向詹森恶狠狠瞪了一眼,耸耸肩走出了帐篷。詹森等他走后,对梅林说:"假如他再来烦扰你,你可以大声叫我,我就在这附近。"

方才詹森和马尔宾讲瑞典话,梅林完全不懂,詹森最后这句话是用阿拉伯语讲的,梅林当然听懂了。从方才他俩谈话的神情看,她也猜出了几分他们的意思。她看出詹森虽和马尔宾是一伙,但他对自己似无恶意,于是就向詹森要求,放她到森林里去找哥鲁克。詹森听了哈哈大笑,告诉她,假如她存着逃跑的念头,只会惹来对她更加严密的监禁。梅林十分失望。那夜,她侧耳听着外面,有没有哥鲁克来救她的声音。林中动物在黑暗中匆匆往来,她都听得很清楚,但一直听不到她所盼望的脚步声。但是她始终坚信,他一定会来。但为什么这样迟迟不来呢?看看天色又将亮了,梅林不禁发起愁来。她知道,哥鲁克不比平常人,决不会在丛林中遇到什么意外,他在丛林中从没有受过挫折,任何情况下他都会想出办法来的。吃过早饭之后,詹森命令部下开拔,梅林只好跟着他们往北走了,这时仍不见哥鲁克来,她还是满怀希望的。

日子一天天过去了,马尔宾因为詹森对他的防范和干涉,怒火未消。詹森对他说话,他也爱搭不理,也不和梅林说话。但每当她见了他那副贼眉鼠眼的样子,总还是觉得有些害怕。她把基卡紧紧抱在怀里,她的佩刀已被柯夫杜没收了,没有防身的利器,总不免心惊胆战。到了第四天,仍未见哥鲁克的踪影,她估计他找不到自己了。同时,他们带着她,也走出很远的路了。她总害怕哥鲁克不来救她,他们会杀死自己,她也始终不明白,他们怪费劲地带着自己,到底要干什么。

那天,詹森他们这一伙人连着赶了三天的路,走得很辛苦,大家都觉得疲倦了,于是就支开帐幕休息。为了补充路上的干粮,马尔宾提出,分头出去打猎。大约出去了一个多钟头,马尔宾鬼鬼祟祟地先溜了回来。梅林见他走进自己的帐篷,脸上竟带着一种野兽样的神情,一种要有什么灾难临身的预感,马上使她紧张起来。

十四
遇奇侠峰回路转

梅林吃惊地睁大了眼睛,看着马尔宾走近,她好像笼子里的野兽遇见了大蛇一样,恐怖、焦急,但却无计可施。她的手脚虽没被捆着,但瑞典人怕她逃跑,特制了一条铁链,锁在她的脖子上,另一端则锁在一个木桩上,她只能围绕着这个木桩活动。这时梅林被惊恐驱使,一步一步地向帐幕尽头退去。马尔宾也一步一步地进逼着,他伸开十指,像兽爪一样要去抓她。他的嘴张开着,大声地喘着粗气。

她记得詹森答应过,假如马尔宾再来侵扰她,她可以呼救,但现在,她知道詹森打猎还没回来,马尔宾是特意选了这个时间的。尽管如此,她还是高呼救命,总希望有人听见,能来援救她,同时,她的呼喊对马尔宾也是一种威胁。但一次、两次、三次,没人来救,马尔宾却逼到她面前了。他用手按住她的嘴,她拼命抵抗,就像过去在丛林中一样,她使用自己的指甲和牙齿,来保护自己,抵御敌人。马尔宾觉出这小姑娘臂力很强,几乎像一头小母狮。但他也不示弱,拿出全力来对付她,终于把她推倒在地,用一只手卡住了她的脖子。梅林用牙齿咬他,用指甲抓他,但因喉咙被掐住,气力慢慢微弱下来了。

在丛林中的詹森打到了两头鹿。他打猎不肯走得太远,就是怕马尔宾有不规矩的举动。他本来就有点疑心,今天马尔宾为什么提出分头打猎?他是深知马尔宾的为人的,于是吩咐部下带好猎物随后回来,自己则匆匆往回赶。走在半途,他就听到帐篷那边有呼救声;侧耳细听,果然,接着又是一声,再往后就没有声音了。他情知不好,边骂,边怒冲冲地往回飞奔。心想马尔宾这个混蛋,自己把什么道理都跟他说清楚了,他还是要这样干,好好的一件事不知要被他断送到什么地步!

在帐篷的另一边,比詹森站的地方更远些,也有一个人听到了梅林的呼救声。这是一个外来人,他从没到过此地,也不知道有白人的营地在这里,他是带着部下来这里打猎的。他也静静地听着,听出这是女人的叫声,也赶快往发出叫声的帐篷跑去。他完全是出于热心肠,路见不平,想去救人的。但他隔得比较远些,所以詹森先赶到,冲进帐篷,一看眼前的情景,马上明白发生了什么。他痛恨马尔宾不听他的劝告,一意孤行,非把好好的一件事搅黄不可。这时,梅林还在拼命抵抗,马尔宾却对她拳脚相加了。詹森进了帐篷,气得破口大骂。马尔宾一见,放下梅林,拔出手枪指向詹森,詹森也同时拔出了手枪。两支手枪同时射击,不过詹森是一边走一边开枪的,瞄准差些,所以枪声一响,他中弹了,手臂震颤了一下,枪掉在了地上。但他没马上倒下,像喝醉了酒一样,摇摇晃晃向马尔宾撞过去。马尔宾又举起枪,对准他的朋友,开了第二枪。梅林面对着人类互相残杀的场面,虽然也害怕,但她深深感到了中弹者所表现出的生命力的顽强。她看到詹森中了第二枪之后,眼睛闭上,头渐渐垂到胸前,手也软软地垂了下去,但他仍然站着,身子在摇晃。直到他中了第三枪,才颓然倒下去,悄无声息地死了。马尔宾继续往前走,走到詹森身边,嘴里骂着,用脚去踢躺在地上的詹森。然后他又回到梅林跟前,还想抓她。正在这危急的时候,帐幕的门被掀开了,进来一个身材高大的白人,他威严地站在门口。他正是打猎从这儿路过,听到喊声前来救援的陌生人。他走路很轻,马尔宾和梅林都没发现有人进来。

那陌生人很快地横穿过帐篷,跳过詹森的尸体,当马尔宾正要向梅林伸手时,却有一只强而有力的手抓住了他的肩膀。马尔宾急忙转头一看,只见一个身材高大、黑发中已经有了少许白发的陌生人,站在他身后。这人穿着普通军服,戴着战士的凉帽。马尔宾气极了,心想打死了一个,怎么又来了一个?于是马尔宾又要拔枪。那陌生人一笑,以极其迅速的动作夺过马尔宾的枪,远远扔到帐篷的另一边去了。

陌生人用英语问梅林:"你们动武是为了什么事?"

梅林听不懂他的话,便摇摇头,含含糊糊地说了一句阿拉伯话。于是陌生人又用阿拉伯语问她。

梅林答道:"这些人把我从哥鲁克那里抢了来,这个拿枪的人要害我,那一个要阻止他,被他打死了。不过这两个都不是好人,拿枪的这个更坏。如果我的哥鲁克在这儿,一定会杀了他们,救我回丛林里去的。你是不是也是和他们一样的人?你为什么不杀了他?"

陌生人笑了笑说:"杀了他吗? 当然, 杀了他也是他罪有应得,从前我也曾杀过像他们这一类人,可是现在的我,不比从前了。我给你做主,他绝不敢再欺侮你了。"

陌生人转头问马尔宾说:"我在路上已经听到你闹得够了,你应得死罪,但应当通过法律,以示法律的尊严。我知道你是谁,对你们的动向,我也了如指掌。现在我放你走,你不准再来,否则,我就要依法惩办你了!你的一切都在我手里,你听懂了吗?"

马尔宾不认识这陌生人,反而叫骂起来,虚张声势,打算以此吓走对方。那陌生人一笑,抓住马尔宾的肩膀一抖,抖得他浑身像散了架,牙齿打战。那陌生人喝道:"现在快滚出去,下次再碰到我,你该记住我是谁了。"陌生人靠近马尔宾耳边,轻轻说了自己的姓名。这一举动果然发生效力,马尔宾听了,比挨一顿痛打还害怕。陌生人一脚把他踢出门去,然后回到梅林跟前,指着她颈上的铁链说:"谁管着这铁链的钥匙?"

梅林指了指詹森的尸体,说:"是他常带在身边的。"

陌生人到尸体的衣袋中一摸,果然找到了钥匙,马上给梅林打开锁链,使梅林恢复了自由。她问:"你能放我去找哥鲁克吗?"

陌生人说:"现在我送你回家吧!你家在哪里?"他看梅林的衣着很奇特,像是蛮族,可听她说话,又像是阿拉伯人。他从未见过阿拉伯少女穿这种衣服,于是他又问:"你们的部落是哪一族?哥鲁克是谁?"

梅林说:"哥鲁克?他是一个人猿。本来哥鲁克可以做大猿王的,可是他不愿意做,就让给阿特去做大猿王了。以后,哥鲁克就和我住在丛林里。我在这里没有什么亲属。"梅林常常习惯把阿库特叫成"阿特"的。

这些话引起了陌生人的惊奇,他仔细地看了看她,又问:"哥鲁克是人猿吗?那么,你呢?"

梅林说:"我叫梅林,我也是一个人猿。"

陌生人听了,露出既惊诧又怜悯的神色。他走到她面前,举起手来想摸摸她的额头,看她是否发烧讲着呓语。她不知他的用意,见他也动手动脚,很快地掉转身,低低地咆哮了一声。陌生人不觉一笑,柔声说:"你别怕我,我不伤害你,我恐怕你害了热病。如果你没有病,不妨跟我走,我可以帮你去找哥鲁克。"

她看看陌生人,知道他不是坏人,于是让他过来摸了摸额头。他又替她摸了一下脉搏,知道她没有发烧,他问:"你做人猿有多久了?"

梅林仰头想了想说:"具体时间我说不出,反正已经有很久了。那时候,我还是个一丁点儿的小姑娘,我父亲很凶地虐待我。哥鲁克到我父亲村里来,把我救出来的。从那时候起,我就住在树上了,同伴就是哥鲁克和阿特。"

陌生人问她:"哥鲁克住在哪一片丛林中?"

梅林用右手向南方画了个半圈,几乎把半个非洲的面积都包括在内了。

陌生人又问:"你能找到回去的路吗?"

梅林说:"我不知道,哥鲁克一定会来找我的。"

陌生人说:"这样吧!我有个办法,我的家离这里不过几天的路程,我先带你回我家去。我妻子见了你,一定会喜欢你、保护你的。然后我们再寻找哥鲁克,或者等他来找你。假如他能寻到这里来,也一定会找到我的村子里去的。你看这样好吗?"

这时,马尔宾已经带着部下逃窜到丛林的北方去了。梅林看了看陌生人,觉得他是可信赖的。她站在他旁边,一手握着基卡,毫不胆怯地和他说着话。陌生人听她讲的阿拉伯话并不流利,似乎她很久没讲这种话了。原来,梅林是被瑞典人买来之后,才又重新讲起来的,这么多年,她和哥鲁克一直讲猿语,所以阿拉伯话几乎忘了一半了。其实,阿拉伯话还是老酋长教她的,在这以前,她讲什么话,连她自己都不记得了。当然这位陌生人就更无从知晓了。

陌生人劝她到他的庄园上去暂住,梅林却执拗地一定要去找哥鲁克。陌生人看出来如果要强迫她,效果一定会适得其反,他想了一会儿,终于想出来一个办法:就顺着她的意思朝南走,然后再慢慢转到自己庄园的方向去。陌生人的庄园本来在东面,他却带着梅林向南走去。他领着她走,边走边聊些闲话,在她不注意的时候,慢慢地改变了方向,径直朝东走去,幸好她一点也没有察觉。同时,她对他的看法,也在不知不觉中渐渐改变,开始时她只是以为这个人未必会伤害自己,这一路上见他和蔼可亲,对他自然也越来越信赖了。不过,她盼望能找到哥鲁克,这件事在她心里还是占第一位的。

走到第五天,前面出现了一片大平原。她从树林边望去,见平原上有许多房屋,房屋之外绕着围墙。她觉得万分惊奇,指着房子问:"咦!我们这是到了哪里?我从来没有见过。"

陌生人回答说:"我们没找到哥鲁克,不知不觉已经到了我的庄园了。我带你住在这里,有我妻子和你做伴,绝不会发生什么事的。另外我再派人去找你的哥鲁克,或者等他来找你。孩子!我看这样很好,你和我们住在一起,会十分安全的,你也一定会很快乐的。"

梅林说:"宛那(阿拉伯语中对长者的尊称)!我很害怕,在你庄上,也许有像我父亲一样的阿拉伯酋长,会打我的。让我回丛林去吧!哥鲁克一定会来找我,他不会到白人庄园里来找我的。我若住在这儿,他永远找不到我。"

陌生人说:"孩子!庄上的人都是我的部下,他们决不会打你的,他们当中也没有什么酋长。我是庄园的主人,我也不会打你。我们一起走了这么好几天,你看我打过你吗?我庄子上从来不许打人的,我妻子一定会很疼爱你。你安心地等着哥鲁克来,我也会派人去找他的。"

梅林摇摇头说:"他们即使找到哥鲁克,也无法把他带来,哥鲁克不懂阿拉伯话,语言不通,他会杀掉他们的。他对我谈起过,人类常常要伤害他呢,我害怕啊!让我走吧,宛那!"

陌生人说:"你不认识回去的路,一走进林中,一定会迷路的。丛林里狮子和豹子很多,也许第一夜就把你吃了。再说,你不认识路,也找不到你的哥鲁克呀!我看,你还是和我一起回去好了。我是从坏人那里把你救出来的,所以你应该听我的劝告,先在这里住几个星期,以后,我再为你筹划更好的办法。你孤身一个小姑娘,我如果允许你独自一个人到丛林里去,我岂不也成了一个恶人了吗?"

梅林大笑起来,说:"你把丛林看得那么可怕吗?这么多年来,丛林就是我的父母,她对我的仁慈,胜过人类。我并不怕森林,甚至觉得狮子和豹也不那么可怕。当我命定要死的时候,也许是一头豹或狮子来杀死我,但也可能是一只没有我指甲盖大的小毒虫。豹或狮子向我扑来的那一刻,我会恐惧,然而这总比整天为尚未发生的事而提心吊胆要好得多。如果一头狮子扑来,我的恐惧是短暂的;假如是一只毒虫,我在死前也许要经历几天的痛苦。这样相比之下,我反而不太怕狮子了。况且狮子身体庞大,吼声响亮,我能听到、看到甚至嗅到它的到来,往往有足够的时间逃跑,可是毒虫就不一样了,我的手或脚无意间碰了它或踏到它,它的毒刺蜇了我,会让我在死之前受好几天疼痛的煎熬,这才可怕呢!宛那!我不怕丛林,我爱丛林,我宁死也不愿离开丛林。不过,你的庄园靠近丛林边,你待我又这么好,我就照你说的做,等我的哥鲁克来找我吧!"

陌生人很高兴地说:"很好。"然后就领着她走向一座鲜花掩映的平房别墅,在别墅后面有谷仓和几间库房,可以看出这是一个井然有序的非洲庄园。

他们走近庄园时,突然从什么地方蹿出来七八只狗,向他们叫着跑来。几只狼狗,一只大丹麦狗,一只牧羊犬和几只吵得挺凶的叭儿狗。它们开始冲过来时,都摆出一副气势汹汹的样子,一旦认出了在一队黑武士后面走着的主人,它们立刻变得温顺起来。牧羊犬和那几只叭儿狗特别高兴,狼狗和丹麦狗见到主人归来,也一样地在他身前身后雀跃欢跳。忽然它们发现了梅林,走到她身边嗅来嗅去,但梅林对它们一点也不害怕。

那几只狼狗见她穿着兽皮衣服,便前爪扒着地,嘴里向她发出呜呜的声音。可是当梅林走到它们跟前,用手拍着它们的头,嘴里咕咕噜噜说着温存的话时,它们立刻放弃了敌意,半闭起眼睛,把鼻端渐扬渐高,摇晃着尾巴,显出了狗常有的一种满足和惬意的样子。那位男主人看了,脸上也露出笑容,因为这些野性的牲畜很少对一位陌生客人表示过这样的亲切,好像这个女孩子身上会散发出一种什么足以令野兽和动物驯服的气息一样。

梅林一手拉着一只狼狗的颈圈,走向别墅圆形拱门的前廊,那里有一位穿着白色衣裙的夫人,在向归来的亲人招手。

庄园主人说:"这是我太太,她一定会欢迎你的。"

夫人走下台阶,庄园主人先吻了妻子,然后用梅林听得懂的阿拉伯语对夫人说:"这是梅林。"并详尽地把遇到梅林的经过讲给妻子听。

梅林细看那位夫人,见她生得十分美丽,样子也非常温柔仁慈,因此她的恐惧心理也消失了。夫人听丈夫说完情况,走到梅林跟前,搂住她,吻了她的双颊,很慈爱地叫道:"可怜的小宝贝儿。"

这样温柔的语调,梅林许久没有听到过了,非常打动她的心。仿佛这种音调含着慈母的口吻,梅林依稀记得好像自己也曾经领受过,但那是很多年之前,她自己也记不起在什么地方,是什么时候了。她不觉心中一酸,情不自禁地痛哭起来,这是她离开阿拉伯酋长和两个瑞典人的蛮村后,第一次动了真感情的哭。她自己也不知道,这哭是快乐呢,还是悲哀?

从此以后,这惯住丛林的小白猿梅林走出了她依恋的森林,置身于文明家庭中了。她天真烂漫,也不问这家主人的姓氏,只是用"宛那"和"亲爱的"这两个名词称呼男女主人。因为她第一次听宛那称夫人为"亲爱的",她也就这样叫了。她把这对夫妇看作自己的父母,心里对他们充满了信赖和敬爱。尽管这样,她仍旧希望他们帮她去找哥鲁克。在她心里占第一位的,仍是哥鲁克。

十五
大闹柯夫杜村

哥鲁克从柯夫杜村落败退之后,逃入了丛林。他满身都有被长矛刺伤的地方,流出的血有的已经凝成了血块。虽然体力已经不支,但他心里又焦急又愤怒。他沉思了一下,下一步该怎么办?自己走出来得太远了,阿库特的大猿群恐怕一时很难找到,现在能够求助的还有谁呢?他忽然想起,前不久不是救过狒狒王吗?狒狒是非常讲义气的,看来,现在只有去找大狒狒了。他养好了身体,然后就到当初和狒狒分手的地方,可他却没有找到狒狒。他知道这一带是狒狒常出没的地方,虽没找见踪影,但有着明显的足迹。他赶紧循着脚印追踪而去,追了不远,果然望见狒狒在结队往南走。狒狒有一种习性,到了某一个时候,必然要结队往南迁徙;再到某一个时候,仍旧回北方来,这有点像候鸟。哥鲁克此时虽然在它们的下风,但他的行迹已经被守望的狒狒瞥见了,它便咆哮警告大家,于是那一大群狒狒都狂叫起来,准备迎敌。母狒狒也各自把幼仔招呼到身边来,以保护它们的安全。哥鲁克高声叫着狒狒王,那狒狒王听着声音很熟悉,态度稍微和善了些。它还用鼻子嗅着,唯恐自己的眼睛和耳朵靠不住。哥鲁克稳稳地站住,听凭它去嗅,去转着圈地观察,因为哥鲁克知道,如果这时候他往前闯，不是遭到攻击，就是把它们全吓跑。普通兽类受了特别刺激，大多表现为两种情况，一种是勃然大怒，另一种就是惊魂丧胆。因恐惧而落荒逃跑的事，也不少见。哥鲁克熟悉它们这种习性，所以站住不动。

狒狒王围绕着它转了几圈，咆哮着、嗅着、试探着。哥鲁克对它说："我是哥鲁克，我以前打开铁笼把你救出来。我是无敌的哥鲁克，我从白猿手里救过你，我是你的朋友。"

狒狒王检查了一阵，喃喃地说："哦！是的，你是哥鲁克，我的耳朵、眼睛和鼻子都证明你是哥鲁克，我的鼻子最灵敏、最准确，你是我的朋友。来！我们一同打猎去！"

哥鲁克说："哥鲁克现在不能打猎。因为黑猿抢了我的梅林，他们把她监禁在村里，不放她回来。虽然哥鲁克一个人救不了她，但哥鲁克只有这一个伴侣，所以必须救她。哥鲁克曾经帮助你恢复自由，现在，你理应带着你的部下，帮助哥鲁克去救梅林。你肯吗？"

狒狒王说："黑猿有许多尖锐的棒子，那种棒子掷到我们身上，我们就会受伤，就会死去。如果到他们村子里去，他们会杀掉我们的。"

哥鲁克说："你可知道，我从笼子里救你的时候，白猿用的棒子更厉害呢！那种棒子会发出响声，'砰'的一声，马上可以置敌人于死地。哥鲁克救你的那天，他们就用这种棒子打过哥鲁克的。假如当时哥鲁克害怕，只顾自己逃走，你也早被白猿带去，不知会怎么处置呢！不是吗？如果那样，你今天还能在这里自由自在地当王吗？"

狒狒王觉得他说得也有理,为难地搔着头皮,一时说不出什么,也难以作出什么决策来。他的部下都围在四周,蹲着静听,眨着眼睛。有的尽力往前挤;有的似乎无动于衷,从附近的朽木中找虫子吃;有的对哥鲁克似乎记得,又似乎不记得,局促不安地观望着他。狒狒王看看自己的几个亲信部下,好像在征求它们的意见。

有的说:"我们的队伍数目太少,能作战的更少!"

大家沉默了片刻,有一个狒狒出谋献策说:"这里山上还有很多我们的同类,它们比我们多得多,多得简直像树叶一样,而且它们也吃过黑猿的苦头,很恨黑猿。让我们去问问它们,肯不肯跟我们一同去。如果有它们的帮助,丛林中所有的黑猿都可以杀个干净!"说着就站了起来,张牙舞爪,以示威风。

哥鲁克明白它们有要相助的意思了,也知道此时不宜催促,既然它们一定要去邀约山狒狒,只好听凭它们的决定,而且,数目多些也确有好处。狒狒王告诉所有的部下,都在这里等候,自己挑选了十二个精锐的狒狒,跟着哥鲁克一块儿去了。狒狒的性子很急,走起来风驰电掣,哥鲁克平时经常锻炼,还能赶上它们。这一群狒狒跟着哥鲁克走过之处,树木的枝叶都被撼动了,吓得胆小的野兽们都躲得远远的。它们只怕狮子和豹子看见它们少数离群,前来袭击它们。所以它们到了平原上,都小心翼翼地走得很轻。

它们走了两天,经过的大多是遮天蔽日的树林,最后到了一处大平原,对面是树木茂盛的山坡。哥鲁克从未到过这里,觉得风景异常秀丽,但他现在没有心情欣赏风景,他的梅林正处在危险之中啊!在山坡树林中,狒狒们走得慢了,它们不时放声高呼,一面又静听有没有回应。若没有回应,就再向前走。最后,果然听到了回应。狒狒们又继续叫着,听那回应也渐渐近起来,知道山狒狒已经在向这边走了。从声音听起来,好像数目很多。走到最后,能看见了:下山的山狒狒,满山满谷,大约有好几千,几乎布满了一座大山。此时哥鲁克却有点胆怯了,他怕它们话不投机,双方动起武来,那自己可就前功尽弃了。

两个狒狒王见面之后,互相嗅了一阵,这好像是它们的见面礼,然后又互相搔了几下对方的脊背,于是面对面蹲下,开始谈话。山下的狒狒王先说明了来意,哥鲁克怕引起它们的误会,自己没敢露面,先躲在大树的后头,等到两个狒狒王谈了一阵之后,他才走出来。没想到这样小心,还是惹出了点麻烦:他才一出来,大群的山狒狒立刻暴怒起来,以为山下的狒狒此来有诈,给它们引来了敌人。哥鲁克此时真是非常担心,他怕山狒狒对他群起而攻之,如果自己死在这里,谁还能去救梅林呢?两个狒狒王尽了很大的力气,才制止住了山狒狒的骚乱。哥鲁克这才放下心来,慢慢地走上前去。山狒狒立刻把他团团围住,在他身上嗅个不止,当他用猿语对它们讲话时,它们似乎又惊又喜,这个和它们不同类的白猿,居然能说它们听得懂的话,大出它们意料,也正因为这一点,它们对这只白猿一下子亲切了几分,都七嘴八舌和哥鲁克问答起来。哥鲁克于是告诉它们,他的梅林是他在丛林中唯一的同伴,他们俩向来跟大猿、小猴都相处得很好。接着,他就告诉它们:"村落里的黑猿从我这里抢走了梅林,这些黑猿也是你们的敌人,也要杀你们的。山下的狒狒王就曾经被他们捉住过。现在要去救梅林,可山下的狒狒太少,不足以抵挡黑猿。它们告诉我,你们是它们的同类,又非常勇敢,而且数目多得像树叶一样,甚至连大象都怕你们,你们真是可称勇猛无敌啊,其他的兽类当然更不在话下了!你们一定肯帮助我,和我一起到黑猿部落去。以你们威震山林的数目和勇猛众多,杀死那些可恶的黑猿,踏平他们的村落,是十拿九稳的,并且一定会大获全胜。这里还有谁能比你们更有力量呢?杀了黑猿,哥鲁克可以救出梅林,也为你们狒狒类灭除一害。现在就看你们肯不肯了。"

哥鲁克唯恐山狒狒有顾虑不答应,所以说了许多夸大其词的话,给它们戴了不少高帽子,最后又用了个激将法。等他说完,山狒狒王就第一个坐不住了,它站了起来,挺胸突肚,显得气宇轩昂。接着,在它背后,呼啦啦地站起了一大片,它们听自称是白猿的哥鲁克用猿语讲了许多恭维它们的话,都心花怒放,乐得忘乎所以了,因为在山林里还从来没有谁给它们这么高的评价。

一个年轻的山狒狒说:"我们山狒狒素来是善于打仗的,这一点谁都不能否认。大象怕我们,狮子怕我们,豹子怕我们,黑猿见我们下山,只能远远避开。我愿意第一个跟你到山下黑猿的村落里去。我是我们大王的爱将,只要我一个,就能杀尽山下的黑猿!"

另一个山狒狒更不甘示弱,站起来叫道:"我叫古伯,我的牙又长又尖,十分结实,最善于咬黑猿的脖子。有一次,我独自一个杀死过一头豹和它的姐妹们。古伯愿意去杀尽黑猿,连收尸的也不给他们留一个。"它一边说,一边在地上乱跑。那些母狒狒和小狒狒看了,都露出一脸赞许和自豪的神情。

哥鲁克看山狒狒王十分得意,就对它说:"你的部下真勇敢,我相信,你一定比部下更勇敢!"

山狒狒王年轻气盛,经这一捧一激,立刻跳了起来,威风凛凛地长啸着,吓得那些小狒狒都直往母亲怀里扎。几千头山狒狒都跟着它们的王一齐长啸起来,弄得山鸣谷应,声音传得老远。哥鲁克看时机已成熟,就走到山狒狒王跟前,高声说了一句:"走吧!"于是带头第一个跑下山坡,跨过平原,一直向柯夫杜村中奔去。山狒狒王带着浩浩荡荡的部下,叫着跳着,跟在哥鲁克后面,齐向山下柯夫杜的村落进发。

第二天下午才到达目的地。热带的阳光非常猛烈,灼热得让人受不住它,黑人这时都躲在屋里。几千头狒狒看离村子近了,都走得很轻,发出的声音也不过像风吹树叶一样,村里的黑人竟没有一个人发觉。

哥鲁克和两个狒狒王走在最前头,到了村边。等候大队狒狒都走近了,哥鲁克跳上栅栏外的大树,用手势告诉身后的狒狒们,都静静等候他的号令。他再三嘱咐大家,村中那个白猿,就是梅林,千万不可伤着她,对所有黑猿,都可以大肆屠杀,狒狒群都已听明白了,牢牢记下。哥鲁克见一切布置妥当,于是仰天长啸,发出一声号令,几千只大狒狒跳着叫着,一齐冲进村落。黑武士们猝不及防,都从茅屋里跑出来,女人们也跟了出来。大家见这么一大群野兽张牙舞爪地冲过来,都吓得向村里能防御的地方逃去。柯夫杜也出来了,率领并督促着黑武士们乱掷长矛,拼命死战,以保护自己的村落。

这一边,哥鲁克也领着狒狒群勇猛进攻。黑人见领着狒狒来的,就是时常来村里抢掠东西的白色魔鬼,才明白因为上次打伤了他,现在他带了许多狒狒来复仇。他们都害怕哥鲁克,心里泄了气,阵脚大乱,士气再也振作不起来了。哥鲁克趁此机会,指挥狒狒猛扑上去,又撕又咬,顿时把那些黑武士杀得七零八落。黑人们惊慌失措,没有人再敢还击,都争先恐后地向村外逃去。哥鲁克见胜利已成定局,就离开了狒狒群,独自到从前监禁梅林的茅屋里去找,不料茅屋里竟是空的,什么也没有。他一边喊着梅林的名字,一边又找了其他许多间茅屋,也不见梅林的踪影。他猜想梅林恐怕已经遇害,也许被黑人吃了。这时,他心里把所有的黑人都看作杀害梅林的凶手。他仔细一听,村里已无人声,村外却喧闹异常。他出去一看,狒狒在混战中失去了他这个头领,都已打得疲惫不堪了。那些残败的黑人又已稳住阵脚,舞着棍棒,在和没有散去的狒狒乱打。

哥鲁克这时报仇心切,已红了眼,满腔怒火,立刻跳下地去,东扑西咬,非常凶猛。黑人见他平日和大猿同来抢掠,今天又带了大群狒狒来进攻,大猿和狒狒居然都听他指挥,因而以为他不是人类,一定是个魔鬼,也许上帝遣他下来,惩罚有罪的黑人的。黑人素来极为迷信,这时更深信不疑地认为自己平时不知什么地方触犯过上帝,今天该劫了。这么一想,再也不敢抵抗,只有逃命的份儿了。此时哥鲁克稍冷静了些,站在那里喘息。狒狒们也战得筋疲力尽,有的蹲着,有的躺下休息,大家身上都溅满了黑人的鲜血。

柯夫杜带着他的残部逃到安全的地方,一点人数,只剩下了不多的人。他害怕狒狒再来,再也不敢回村去了,只得逃往远处,另找住的地方。

  这一仗虽然打胜了,然而哥鲁克却没找到梅林,甚至连找梅林的线索也断了。而哥鲁克怎么会想到,自己的心上人不但没有死,还平安无事地住在百里之外的庄园上呢!

十六
有朋自远方来

梅林在她的新家里已经渐渐习惯了新的生活,光阴飞逝。起初,她总是要求宛那夫妇允许她到丛林中去找哥鲁克。宛那始终劝阻她,但是又怕她自作主张,不辞而别,所以派了一个头目,带领一队土著人,上柯夫杜村落去打听一下这白人少女是怎么到柯夫杜村落的,想搞清楚她的来历究竟是怎么回事。宛那还叮嘱那头目,向柯夫杜询问清楚,她所说的哥鲁克是否真有其人;假如此人在柯夫杜村里,务必请他一起回来。宛那推测,梅林受惊吓过度,被黑人监禁了许久,后来又被两个瑞典人威胁折磨,受了太大的刺激,神经可能有些不正常,哥鲁克也许只是她心里的一个幻象,未必真有其人。可是经过很多天,他在家里平静地仔细观察梅林,却觉得她确实是健康的,没有任何病态,心里不觉暗暗奇怪。至于宛那的夫人,先前听说梅林孤身一人流落丛林,只是觉得她惹人怜悯,后来看她性情直率,一派纯真,又聪明又活泼,竟慢慢越来越喜爱她。梅林对这位贤淑慈爱的夫人也十分崇敬。

日子久了,宛那夫妻俩把这个蛮族打扮的小姑娘完全改扮成一位文明的小姐了。同时他们还让梅林跟他们学英文,夫妻俩轮流做梅林的家庭教师。梅林天资聪敏,加上专心学习,没有多久,已经可以用英语对话了。

不到一个月,派出去找哥鲁克的头目回来了,哥鲁克当然不在柯夫杜村落里。梅林听了头目的报告,顿时显出万分沮丧的神情。据那头目说,柯夫杜蛮村里已没有人迹,四隅荒凉。他们在村子四周住了好多天,总找不到梅林说的哥鲁克,而且那里连大猿也没有。梅林听了,又要亲自到丛林去找,幸被宛那极力劝止了。宛那答应她,自己一有了空闲,一定亲自替她去寻找。放她这样的女孩子一个人出去,宛那夫妇无论如何是不放心的。梅林的行动计划虽被宛那诚恳地劝住了,但她心里仍是念念不忘,整天喃喃地喊着哥鲁克的名字,过了好几个月,才稍稍好一点。

梅林已长到十六岁了,因为身材高大,一眼望去,竟像二十岁左右的姑娘。她虽然皮肤稍微黑些,脑后堆着乌云一般的秀发,生得肌肤丰满,自有一种天然的风韵,颇引人注目。她起初常和夫人谈起哥鲁克,后来,思念越深,她反而绝口不提了,只是在心里常常想着从前哥鲁克待她的种种好处。

过了一段时间,梅林的英语已讲得十分流利了,而且也渐渐能看书和写字了。有一天,夫人和她开玩笑,对她说了一句法语,没想到梅林居然也用法语回答了她,不过说得很慢,好像小孩子在学说话一样,有点断断续续的,但发音却很准确。夫人听了非常惊奇,从此以后,她们每天都讲一点法文。夫人见她学法文非常神速,比学英文还快,更觉惊异,只是想不通这到底是什么原因。梅林说法语时,总是蹙着眉头,好像在努力回忆一件久已被忘却的事,遇到比较难的字,更会犹豫半天。最奇怪的是,夫人没有教过她的生字,她也能自己发音,有时发的音比夫人还准确,这使夫人百思不得其解。不过梅林虽会说法语,却不会写字看书,夫人因她英文已有了根底,就决定先让她习读英文,法文只练习些会话。

有一次夫人问她:"在你父亲的村落里,有人会讲法语吗?我总觉得你以前一定听到过的。"

梅林摇摇头说:"没有过,我父亲村中始终没见过法国人,他恨法国人恨得咬牙切齿。我从来没听过法国话,然而我自己又觉得,有些词语怪熟,我也不懂这是什么缘故。"

夫人说:"是呀!我也觉得奇怪,可是怎么也想不明白。"

这时,邮差送来一封信。夫人看了,告诉梅林,要有客人来了,有几位英国绅士和夫人,预备到这里来旅游和打猎,大约要在这里逗留一个月。梅林听了这个消息,倒不像夫人那样高兴,她从来没有遇到过这种事,该如何应付,她自然会有些疑虑。她无法断定来的客人是和宛那夫妇一样善良呢,还是和她以前见过的白人一样凶残。夫人知道了她的顾虑之后,就解释给她听:"他们都是上流文明社会的人物,可敬可爱,你尽可以放心,不妨大大方方地和他们往来。"

夫人看她不像一般的女孩子有许多羞怯之态,虽觉得奇怪,但也有几分高兴,只希望看看她见到这些客人时,究竟会是个什么样子。

过了一段时间,客人终于到了,一共是三位男客,两位女客。那两位女客,是两位年龄较大的男客的夫人,另一位年轻的男客名叫马里逊·贝奈斯,是一位贵族青年,家中拥有巨产。他把欧洲各大都市都玩腻了,想到非洲来换换口味。虽然他怀有成见,认为在二十世纪的世界上,不同于欧洲生活方式的地方似乎是不会有的。他又听人传说,非洲风景有其独到之处,是其他地方看不到的,出于好奇,他想来玩玩。马里逊的为人,表面上很有礼貌,实际上却胸襟狭小,非常傲慢,在朋友中,很少有人能和他成为莫逆之交。他傲慢到目空一切的程度,甚至把自己在社会上接触的人都看成鞋底上的泥,随时可以沾上,也随时可以脱落。只因他天生体魄强健,相貌堂堂,也算得一表人材,加之他到过很多地方,见多识广,有了这几点长处,所以他虽有些自私褊狭的毛病,人们也不太讨厌他。

起初梅林见到这些客人时,很是拘谨和害怕。宛那夫妇也不愿把她的奇特身世告诉客人们,所以他们都不知道梅林的经历。客人们见她温柔谦逊,活泼天真,对丛林又有丰富的常识,都很喜欢她。梅林在最近这一年中,常和宛那夫妇骑马出去游猎。她知道村庄前的河畔是野牛们吃草的地方,附近还有几处狮子常来饮水的地方,这些她都熟悉。她认识野兽的足迹,循着足迹可以追到野兽的巢穴,而当别人还没看到野兽的时候,她靠嗅觉和听觉就已经知道了。在马里逊看来,梅林确实是个美丽而又有趣的伴侣,他对她可以说是一见倾心了。没来这里以前,他满以为非洲主人的庄园上决不会有理想中的年轻女性,如今居然遇到了梅林,这真是出乎他意料之外的事。庄上还没结婚的青年人只有他们两个,所以很自然地常在一起。梅林从小生长在蛮村,没有遇见过马里逊这样的人,听他谈起欧洲大都市的繁华,真是如听神话一般,加之马里逊口才又好,讲得有声有色,历历如见,梅林通过谈话，知道马里逊到过很多地方，非常羡慕，心里不由得对他有几分敬佩。梅林自从结识了这个英国青年，又与他接触较多，对哥鲁克的思念不觉淡了一些。虽然她对哥鲁克的坚贞感情并未因此有所改变，但是过去那种日夜如渴的思念，已经减少了许多。人的感情常常在这种不知不觉间起着微妙的变化，往往连当事人自己也觉察不到。

自从客人来到庄园，梅林从来没有和男士们一起出去打过猎，因为她很不喜欢这种屠杀的游戏。尽管她也曾经追捕过一些动物，却不是拿屠杀当一种娱乐，因为她毕竟过过野人的生活，她和哥鲁克都必须用野物来果腹。而且一直到现在，从某种程度上说，她身上没有完全丧失野性，所以，过去宛那外出猎取野味的时候，她也常常欣然同往。伦敦的客人来了之后，情况却不同了，他们并不为了吃，而捕猎已经堕落成一种以屠杀为乐的事。对此，她就毫无兴趣了。尽管无缘无故的屠杀，宛那也是不允许的，可是客人们有冠冕堂皇的借口，他们打出猎取兽头做标本和剥取皮毛来使用的旗号，宛那也就不好说什么了。梅林每逢遇到这种时候，总是留在家里，不是和夫人坐在绿荫深处谈笑，就是独自骑着心爱的马，到平原上或树林中去。到了林中，她便跳上树去，回到大自然里，享受着童年时代所享受惯了的自由乐趣。每当她在树上跳得乏了，便伏在一个树杈上，苦恼地思念着哥鲁克。但随着时间的推移，她也不自觉地有了一些改变，譬如今天，她心里痴想着一个骑马穿军服的英国青年。

忽然她听到一只小羊的哀鸣声从较远的地方传来，梅林毕竟是在丛林中生活过许多年的，她能听出这哀鸣的意思，这是小羊遇到了野兽,来不及躲避,恐怖已极,发出的绝望哀叫。她记得哥鲁克经常从狮子口中救出小动物,救动物的方法他也教过梅林,所以梅林也会从猛兽口中拯救弱小动物。现在她听到了小羊的哀鸣,自然引起了她的同情和怜悯,她立刻要去搭救这只小羊。

梅林慌忙脱下裙子,扔到一边去,因为穿着裙子在树上腾跳不方便的。跟着,她索性连鞋和袜子也一齐脱了,这样踏在树皮上才不会滑。她甚至想把衣服也一齐脱掉,但想起夫人对她说过,赤身裸体是万万使不得的,她只好穿着。这时她才忽然记起,她把来复枪放在马上没有带来,此时身边唯一的武器是一把猎刀,手枪还在家里,根本没有带出来。

梅林躲在树上仔细听了一阵,小羊仍在哀鸣,她辨了一下方向,听出是在狮子饮水经常经过的地方。但近来那个地方狮子早已绝迹,不过从小羊的哀鸣声听去,它一定是有危险了。梅林循着声音,从树上往小羊叫的方向跳去。等到临近了,她向下一看,原来是有人把小羊拴在泉水边的一个木桩上,用它来当诱饵,引诱猛兽。小羊无法逃走,所以哀鸣。是谁把这只小羊拴在这里的呢?宛那和他的客人、他的部下都不会这样做,宛那从来不准别人在他的猎区内用这种残酷的方法狩猎。在这一带地方,他的命令几乎就等于法律,如果有人要在他的猎区内打猎,一定要遵照他的话。

梅林猜想,这件事一定是游牧部落的蛮族人干的,但他们在哪里呢?她向四面搜寻了一下,没发现有什么人。那么,小羊害怕的猛兽又在哪里呢?为什么有这么可口的食物还不来呢?她从树上走近小羊,仔细地探寻着。啊!她终于看到了,就在她右边几米之外,灌木丛中有头狮子。小羊居于下风,它和梅林中间隔着一块空地,想去救它很不容易。虽然小羊附近也有树,梅林目测了一下距离,觉得没有把握,跳过去割断绳子需要一定时间,这太冒险了。狮子已在附近,趁她在泉边割绳子的时候,狮子会以极快的动作扑过来,自己来不及跳上树去,那就只能送命了。不过梅林也曾经有过多次化险为夷的经历,所以这一次她很想冒险试一试。现在梅林心里最怕的倒还不是狮子,而是隐蔽在暗处、至今尚未被发现的拴小羊的人。如果拴羊的是黑人,见梅林下去,他们会投掷长矛,用猎狮的方法来杀她。此时小羊又哀鸣起来了,这使她扶救弱小的心在犹豫中受到催促,她便决心去救小羊了,悄悄地跳到更接近小羊的枝杈上去,她恐怕狮子发现她,行动尽可能地轻。终于,她接近泉边了,停在树上,向那头大狮子望去,只见狮子已站了起来,低低吼了一声,准备向小羊扑上去。

梅林拔出猎刀,从树上跳下,匆匆奔到小羊跟前。这时,狮子看见了梅林,怒摇着长尾,狂吼起来。梅林的突然出现,使狮子感到意外,它不明白她的意图,所以停止了动作,站在那里,呆呆地望着梅林。

与此同时,还有另一双眼睛也在看着梅林,这就是荆棘丛中伏着的一个白人。他看见这个不穿裙子的少女忽然从树上下来,跑到小羊身边,也吃了一惊。他看狮子不动,便探出身来,举起来复枪,对准狮子的胸口。只见少女奔到小羊身边,挥着猎刀,砍断绳索,放开了小羊。小羊叫了一声,像逃出笼子的小鸟一样,飞奔到丛林里去了。梅林回身向一株最近的树奔去,希望逃过狮子的魔爪。

当梅林转过脸来的时候,恰巧面对着伏在荆棘丛中的那个白人,他看见了梅林,梅林却没看见他。他双目圆睁,一脸惊讶的神色。那头狮子见小羊被放走了,便径直向梅林扑来。那白人由于惊诧而出神,虽然举着来复枪向狮子瞄准,却没有抠动扳机,因为他看清了梅林的面目,心思已经不在狮子身上了。那么,他为什么不救梅林呢?是希望她被狮子扑住,还是怕她发现自己的隐匿之处?从他的面部表情看来,真正的原因似乎是后者。

他看着梅林急急逃命,他的枪口还是对准狮子,始终随着狮子的胸口部位移动,他的手指也一直放在扳机上。这时梅林已奔到树下,迅速跳上树去了,狮子也已扑了过来,梅林只要稍慢一点点,就有被狮子抓住的危险。那人见梅林已脱险,松了口气,放开了来复枪的扳机。他看到梅林在树上做着鬼脸,对狮子讥笑着,闹了一阵,才到树林深处去了。那狮子心有不甘,停留在泉边未走,不时怒吼着,足足有一个多钟头。在这期间,白人有充分的时间可以向狮子开枪,但他忍住了,没有这样做,可能怕梅林听到枪声又回来。最后,狮子发够了威,似乎感到没有希望了,怒吼了几声,也跑到丛林中去了。那人等狮子走后,才走出荆棘丛,朝回家的路上走去。大约走了半小时,才到了那藏在密树丛中的小小营地。他手下有二三十个土著人,见他回来,都和他打招呼,可是他表现得很冷淡,好像没听见一样,理都没理。他本来留着满脸金黄的胡须,待他进了帐篷,过了半小时后出来,突然剃掉了胡须,而且换了一身从来不穿的衣服。

他手下的黑人见他忽然变了一个样子,都觉得非常惊奇。

他问他的部下："你们还认得出我吗?"

其中一个黑人答道："连这里的狼都不会认识你,我们更认不出来了。"

那白人嫌他这话说得太粗野了,对他当面就是一拳。幸亏黑人是挨打挨惯了的,一闪身躲开了。

十七
顿生恶念的追求者

梅林慢慢地又回到她原来的树上，想去找她放在那里的裙子和鞋袜。她愉快地唱着歌，但她的歌声忽地戛然而止了。原来她看见树上有一群狒狒在扔她的裙子、鞋袜玩。它们见她走近，没有一个害怕的，反而露出獠牙，对她咆哮。

这时庄园上出去狩猎的人们都分途回来了。他们在对面林中发现了狮子的脚印，预备分头去寻找狮子。马里逊靠近树林走，他远远瞥见丛林中似有一头什么动物，便勒住马，仔细看了一会儿。因为毕竟太远，他看不清楚，于是他又往前走了一段，再看，原来是一匹马，马上还有鞍子。看到马鞍和马缰后，他认出了这是梅林常乘骑的心爱的马。

他看见了这匹马在这里，心里暗想，梅林一定也在这里。他一边向林边走去，一边思忖：一个少女，独自进入丛林，难免会被野兽吃掉，像梅林这样的好姑娘，在丛林中没人保护，是非常危险的。他把自己的马牵到梅林的马旁，向丛林中步行而去。他想她一定在安全的地方玩，想吓她一跳。他走了没几步，听到仿佛有人喃喃的谈话声，正感到奇怪，走近一看，只见一群狒狒在喧闹，其中一只狒狒，拿着一条女人的裙子，另外几只分别抢了鞋

梅林对狒狒们说了好一会儿,狒狒似乎都听懂了。

和袜。他着实吃了一惊,以为是狒狒杀了梅林,从梅林身上剥下来的。一想到这里,他全身的血液都仿佛凝固住了。他希望梅林能死里逃生,躲到什么地方去。他正要高声喊梅林的名字,却见梅林好好地坐在狒狒群上面的树上。他听见狒狒向她叽叽呱呱地叫着,她却站了起来,好像大猿一样,跳到离狒狒很近的一根树枝上去了。马里逊举起来复枪,对着狒狒,恐怕狒狒会伤害梅林。哪知梅林却跳到离狒狒更近的地方,忽然对狒狒讲起话来了。他惊奇地抖了一下,险些触动了扳机。他看见喧闹着的狒狒群像听到了什么命令一样,忽然一下子寂静无声了,慢慢地一个个走到她身边,把她围在中间,她也并不害怕。马里逊现在再也不敢开枪,恐怕误伤了梅林。但是他心里却觉得万分惊奇,认为简直不可理解。他看梅林对狒狒们说了好一会儿,狒狒似乎都听懂了她的话,都露出十分快乐的神情,把手里的东西一件件交还给她。狒狒围着她,看她穿好衣服,还叽叽呱呱地似乎在向她询问着什么。马里逊看着,吓出一身大汗来,找了一棵树,坐在树下休息了一会儿,擦去脸上的汗,才偷偷地溜出树林去。

几分钟之后,梅林从树林中出来,马里逊见到梅林,心里不禁还有点发毛,但不愿让她知道自己偷看到了什么,只好装作若无其事地说:"我看见你的马在这里,猜想你一定在林子里玩,所以在这里等你,也好做伴一同回家,你同意吗?"

梅林什么也没察觉,只笑笑说:"好的。谢谢你!"

他们两人并着马往回走,横穿过平原。马里逊暗暗观察着梅林的举动,见她和平时没有什么两样,端庄而有礼貌。他暗想,这么温柔的一个姑娘,怎么会跟狒狒交朋友呢?而且还能和它们谈话,这真不可思议。他不禁怀疑,刚才是不是自己看错了。他呆呆地看了她一阵,一个新的念头浮上了他的脑海:她虽然温柔美丽,可是她的身世是怎样的,自己一点儿也不知道。住了这么多日子,主人也绝口不提起这方面的事,只说她也是个客人,这到底是怎么回事呢?她究竟是怎样一个人呢?她除了能和狒狒说话,是否还有其他的秘密呢?就拿今天的事来说,一个好端端的姑娘,竟脱了裙子鞋袜,爬上树去,和一群狒狒在一起玩得挺好,这已经够让人惊奇的了。

马里逊想着这些,不禁又抹了一把刚冒出来的冷汗。梅林看了他一眼说:"怎么?你觉得热吗?现在太阳已经落下去了,我觉得有点冷,你为什么还出汗呢?"

马里逊被问得心慌意乱,不愿说出真相,但又找不出理由来回答,在慌乱之中,竟脱口说出了实话。他说:"我之所以会出汗,是由于心情太不平静,刚才我看见了你的马,猜想你在林子里,本来想跟你开个玩笑,吓你一跳的,就走进丛林里去了,没想到,倒把我自己吓了一跳,我看见你和狒狒都在树上!"这话出口之后,又后悔自己失言,深恐梅林生气。

"是吗?"梅林听了,没什么特别反应,依旧泰然自若。马里逊看她的表情,好像女孩子到丛林里去,甚至脱了衣服上树,都是极平常的事,不值得大惊小怪。

马里逊又脱口而出地来了一句:"这真可怕!"

"可怕吗?"她蹙着眉头说,"这有什么可怕呢?它们都是我的朋友,一个人和朋友谈天,为什么会让人害怕呢?"

马里逊惊奇地问:"你真能和它们讲话? 它们能懂你的话

吗?"

梅林很坦然地说:"是的。"

马里逊说:"但它们都是很可怕的动物,是下等的兽类啊!你怎么会讲野兽的话呢?"

梅林很认真地说:"不对!它们并不可怕,更不能说下等,对朋友是不能用这样的字眼的。宛那没带我来这里之前,我就是和它们住在一起的。那时除了大猿的话之外,我什么话也不会讲,难道,现在暂时和人类住在一块儿,就可以忘记从前的朋友,也不能再说从前说过的语言了吗?"

马里逊失声说:"暂时?你难道还要回去,再和它们住在一起吗?梅林姑娘!你不要骗我,你这种想法是根本不该有的。我相信你以前待它们很好,因此它们认识你,不来伤害你。但你说和它们一起住过,我无论如何也不能相信。"

梅林看他这副惊慌失措的样子,觉得很好玩,索性把从前的经历,全部讲了出来吓他:"我没说假话。当时我和大小猿类都住在一起,朝夕相处,互相帮助,那时我还半裸着身体呢,只围一块兽皮。你想,如果穿着鞋袜和裙子,在树上腾跳,不是太不方便了吗?当时我的家就在树杈上,猎取兽类当食物。鲜血淋漓的野兽肉,我们就热腾腾地生着吃了,很简单的。我和哥鲁克、阿特打野猪、打鹿。我还坐在树上,向狮子扮鬼脸,往下扔树枝,故意惹狮子发怒,我喜欢听它在树下像打雷一样地怒吼。哥鲁克特意为我在高高的树杈上造了一间卧室,我睡在里面。他拿水果和兽肉来给我吃,替我打猎,也待我很好。我没有碰到宛那夫妇以前,再没有比他待我更好的人了。"

她讲到这里,已经忘记是在恐吓马里逊,不禁动了感情,又想起了哥鲁克。她已有很久没有思念哥鲁克了,不觉有些难过,声音也哽咽起来。

他俩默默地走着,一段时间里谁也没再说话。梅林想起了身披豹皮的哥鲁克和满身长毛的阿库特,那时在森林中的生活是多么快乐啊!现在回忆起来,不觉心驰神往。马里逊这时的心情也很复杂,想到自己对梅林几乎可以说是一见钟情,幸亏她自己无意间说出了身世,才知道她过去竟曾与野兽为伍。幸好他还没跟她谈及婚事,不然,若把自己高贵世族的姓氏奉送给她,那可真是太受辱了。不过,马里逊虽然有很牢固的门第观念,可又实在觉得身边的梅林年轻美丽,有一股强烈的青春气息,对自己来说是一种难以抗拒的吸引力,使人丢不下放不下。这也并不奇怪,这是马里逊这一类人常有的心理状态,他认为她既能和狒狒做朋友,而且曾经和大猿一起住在树上,那么,和高贵二字就根本不沾边了;自己如果想占有她,尽可以随心所欲,不一定非结婚不可。像她这样的女子,能让自己看得起,该感到非常荣幸。至于自己,将来还是要找一个世家的千金小姐结婚,才门当户对。像她这样赤身与禽兽混在一起的女子,一定不懂得羞耻,如果自己把她拥入怀里,占有了她,实际对她是赏脸。这一路走来,他的念头越转越卑鄙了,而他自己竟以为非常有道理。本来英国人的观念和美国人不同,英国人有很深的门第等级观念,认为出身贫苦、地位低微的人天生是应该受他们高门贵族驱使的。马里逊既有这种卑鄙想法,当然只会为自己的享乐打算,根本不会考虑到梅林是否愿意、是否幸福了。但他心里总有一个疑问,非想问清楚不可,于是他厚着脸皮,搭讪着问梅林:"哥鲁克和阿特是谁?"

梅林坦率地回答:"阿特是大猿,哥鲁克是白猿。"

马里逊又问:"什么叫大猿?什么叫白猿?"

梅林大笑着说:"这还用问吗?你不就是白猿吗?至于大猿,是全身有毛,通常被叫作猴子一类的。"

马里逊问:"这样说来,哥鲁克也是白人吗?"

梅林说:"不错,和你一样。"

马里逊更加好奇,穷追不舍地问:"那么,他是你的……"他见梅林天真无邪,用清纯澄明的目光望着自己,不由得吞吞吐吐,问不出口了。

梅林侧过头来,很天真地问他:"你想问什么?我的什么?"

马里逊只好拐弯抹角地问:"哥鲁克是你的兄弟吗?"

梅林答道:"不,哥鲁克不是我的兄弟。"

马里逊鼓足了勇气猝然问:"是你的丈夫?"

梅林仰头大笑了:"我的丈夫?亏你想得出来!你看我才有多大?我这么年轻,怎么可能有丈夫?我从来没有想过这事。哥鲁克是我的……我的……哦!哥鲁克就是哥鲁克。"她说到后来,自己也觉得有点说不清楚,因为她和哥鲁克从来就没确定过什么关系。她一边说,一边天真地笑了,从她那坦率的表情上,能看出她是一个极其清纯的、没有过任何邪念的女孩子。

可是,不管梅林怎样清纯,马里逊总认为这种女子是不可能有贞操观念的。因此,他当然认为自己的非分之想是理所应当,无可指责的。

有一天晚上,马里逊和梅林坐着谈天,其他的人都已安睡了。白天，他俩打过一次网球，马里逊素来擅长各项运动，梅林却没受过这种训练，他大获全胜。因此，晚上他想乘机引诱梅林，于是跟她大谈伦敦、巴黎的繁华：舞场和盛宴怎样热闹，参加舞会的小姐们装束又是怎样华贵美艳，在这种环境里，是如何快乐，一般豪富的人家是怎样享受欢快的。马里逊本来就非常健谈，此时更是口若悬河，说得天花乱坠。毫无处世经验的梅林听得非常神往，感到坐在自己面前的不是一个普普通通的青年，而是从天上下来的神仙了。他有意诱惑她，渐渐凑近梅林，握住她的纤手，她一点也不懂得防范，心里也有一种异样的感觉，一时说不出话来。

马里逊向梅林附耳说："梅林！我的小梅林！我早就希望能这样，叫你一声'我的小梅林！'你肯答应我吗？"

她转过头去，睁大两眼，凝视着他的脸，感到有点惊奇，但他躲在黑暗中，有意不让她看清楚。她不禁有点害怕，但并没缩回手去。他趁势猛地一下把她搂在怀里，低低地说："我爱你！"

她没有回答。她从来没有真正尝过恋爱的滋味，哥鲁克也没有对她明确说过"我爱你"。不过她知道被人爱是件好事，人家待她和蔼也是好事，然而她并不清楚和蔼和恋爱是截然不同的两回事。

马里逊接着问："告诉我，你爱我吗？"

他的嘴唇快要贴上她的了。梅林眼前似乎突然出现了哥鲁克的形象，她记得哥鲁克的脸曾贴过自己的脸，她曾让他的嘴唇热吻着自己的嘴唇。在她的生命里，这是第一次无言的爱的甜味，虽然是朦朦胧胧的。她轻轻地从马里逊怀里挣脱出来，说：

"我不能决定我是不是爱你,让我们等着吧,时间还长呢,我还年轻,不到谈婚姻的时候。同时,我也不爱伦敦和巴黎——我怕。"

梅林站了起来,她觉得哥鲁克的影子还在自己面前。她望着星月交辉的天空、平原上的月色、庄园里的树影沉默了片刻,她说:"再会吧!啊!我爱这样的丛林夜景。"

马里逊仍充满热情地说:"将来,你会喜欢伦敦的,伦敦也会爱你的。你将来一定会成为欧洲最美丽的小姐或夫人,全世界都会为你倾倒的,梅林!"

马里逊掏出以他爵士家族徽章作装饰的烟盒,取出一支烟来吸着,袅袅的蓝烟向着月光飞去,他脸上露出一丝狡黠的微笑。

十八
在黑夜的丛林里

第二天,梅林和宛那坐在走廊上,忽然看见有个骑马的白种人从平原上缓缓向这里走过来。宛那手搭凉棚状细看来人,似乎不认识,很是惊疑。因为在非洲中部,来往的生人本来就很少,附近几里范围内即使有黑人往来,他也都认识的,白人就更不用说了,周围百里内外,决不会有陌生白人自由出入,如果有,他一定会预先得到报告的。若是有人到宛那的辖区内来行猎,哪一种野兽被杀了,杀了多少,是用什么方法杀死的,他都了如指掌。宛那平时最反对把毒药放在食品中,用来猎取兽类。他对庄园里的土著人非常好,就像对自己的子弟一样。遇到有些欧洲猎人虐待土著人,宛那都会把他们驱逐出境。曾经有一个非洲出名的猎人,常用毒饵杀兽,而且前后一共杀了四十多头巨狮,宛那得知后非常愤怒,下令把他驱逐出境,不准他再来非洲。因此,那些喜好打猎的人和当地土著人都很敬重宛那。本来在这蛮荒之地是没有法律的,宛那制定的一些规矩就起了法律的作用。在他这里当头目的人,也都暗中接受了宛那的命令,例如他不愿某些猎人在这里,只要对头目们说一声,他们自会指挥部下,把那些猎人驱逐得干干净净。

但今天来的这个陌生人，宛那事先并没有得到报告，他虽不认识这个骑马的人是谁，但作为本地庄园的主人，他还是迎了出去。来人身材高大，约有三十多岁，金色头发，没有胡须。宛那觉得有点面熟，却记不得在哪里见过，也记不起名字。听那人的口音，好像是瑞典、挪威一带。宛那素来好客，只要有人来拜访，无不真诚地欢迎。除非客人确实有不规矩的行为，不值得接待的，才驱逐出境。

宛那上前招呼来人下马，带着那人和马匹，一同走进庄园。宛那问客人说："往日有陌生人来，我庄园上的当地朋友们总会来报告我，你怎么来得这样突兀呢？"

那陌生人回答说："我从南方来，一路上没有经过什么村落，难怪你没有接到报告。"

宛那说："噢！这就难怪了，我庄园的南边，自从柯夫杜村落搬走以后，确实一个土著人也没有了。"他嘴上虽这样说，但仍不免疑惑，这人独自从荒无人烟处来，不能不让人感到奇怪。

那人也知道宛那并未释疑，赶忙接口说："我这一路来，一边游猎，一边做着小买卖。我本来正往南走，哪想到走在半路上，我手下的头目不幸病死了，只有他一个人熟悉这里的路径，现在缺了领路人，只好又折回北边来。在这一个月里，靠着我们的枪打猎，或者采些野果。我们原以为在这一千里内外不会有白人的。昨夜，我们还是在树林里的泉水边支了帐篷过夜的。今天早上，我出来打猎，看见你们的烟囱里冒出烟来，喜出望外，才一面差人回帐篷去报告好消息，一面自己就先来拜望了。在非洲中部，谁都知道你的大名，今天能找到你，真是幸会。我想在这里耽搁几个星期,不知能得到你的允许吗?"

宛那说:"可以,可以。你不妨把帐篷移到我庄园外的河边,跟我的部下住在一起,这样岂不更方便些?请别客气,你尽管像在自己家里一样。"

他们说着,已走到廊前,这时夫人和梅林正好从屋里出来,宛那介绍说:"这位是汉森先生,是做买卖的,正要到南方去。因为在丛林中迷了路,才投奔到这里来的。"

夫人和梅林都对他鞠躬行礼。汉森在她们面前显得局促不安,宛那以为他不惯于和上等社会的夫人小姐相处,唯恐他过分不安,会觉得受窘,于是立刻领他到书房里去,拿烟酒招待他,完全以客礼相待。

客人和宛那走后,梅林对夫人说:"真奇怪,这位汉森先生很面熟,好像在什么地方见过,只是,在哪里见过他呢?还是我记错了?"这个感觉在梅林脑子里闪了一下,事过之后,她也就没再去想它。

汉森并没有接受宛那的邀请把帐篷搬到这里来,他推托说他的部下都是些比较粗暴的人,容易打架,还是让他们住远些好,以免发生不愉快的事。宛那对此也没有在意,任随他自便。汉森自己也不大到庄园里来,即使来了,也尽可能避开女眷,好像怕羞似的。宛那等人在背后,总拿他这一点开玩笑。宛那的欧洲来客也和汉森一同出去打过几次猎,他们都很佩服汉森的高明枪法。汉森不大喜欢和宛那的客人接触,只和庄园内的一个白人工头经常往来,晚上常常来找工头谈天。庄园里每到晚上,常有汉森的足迹,每次他来都要到花园去散散步。这花园在庄园前面,是夫人和梅林亲手种植来消遣的,汉森有一次在花园中遇到夫人,他马上道歉说:"我很喜欢这种北欧名花,所以冒昧来欣赏,打扰了夫人!"

的确,这花是夫人精心选种的。不过,汉森到底是真来看花,还是另有目的,这只有他自己知道了。

汉森住了三个星期。他推说他的部下过度疲劳,要等休息到体力复原后,再往南方去。宛那也没把这事放在心上。事实上,汉森并没让他的部下休息,他把他们分成两队,每个队都由他的亲信领着,他把自己的计划告诉了亲信,并答应他们成功之后,给他们以重赏。叫他们一队慢慢循路往北走,直到撒哈拉大沙漠的南部;另外一队一直向西走,走出宛那所管辖的地界,在大河西岸驻扎。他对宛那只说派了一部分人去探路打前站,根本不说起往西走的一队。他怕宛那的部下终究会察觉,所以他有一天来告诉宛那,他的部下已逃走了一半。因为他考虑到,宛那庄上也常有人到他部下驻扎的地方打猎,他怕自己的秘密被揭穿,所以预先放出这个话来。

有一天晚上,天气很闷热,梅林热得难以入睡,因此起身到花园里来散步。她想起了马里逊白天说的甜腻腻的话,心里有点烦躁。这时,汉森也在花园里。他躺在一丛花树边,心里在盘算着,希望能等到他要等的人。庄园上没有人知道,汉森已经有很多个夜晚这样做了。他在等什么?等谁?谁也不知道。他听到有脚步声,用胳膊肘撑起半个身子来偷看,离他十多步之外,拴着他的马。梅林在慢慢地、漫不经心地走着,她没有发现汉森,等她将要走到汉森身边时,汉森从衣袋里掏出一块早就准备好了的大手帕,轻轻地站了起来。正在这时,忽然传来一声马的喷鼻声,平原的远处又接着传来了一声狮吼。汉森趁这机会,半蹲下身子,预备从梅林身后跳过来。

忽然,汉森听到一声马的嘶鸣,非常近,就在自己身边,他吓了一大跳。紧接着,马的身体擦过树干的声音他也听到了。他非常纳闷,马怎么自己会到花园里来呢?他回头一看,才着实吃了一惊,急忙找个隐蔽处,把自己隐藏起来。这时他看见一个男人走来,身后还牵着两匹马。

这时梅林也听见了,她停下步,望着、听着。过了一小会儿,马里逊走了过来,牵着两匹备好鞍子的马。梅林一看是他,不禁愣住了。马里逊兴冲冲地说:"我因为睡不着,想骑马出去走走,看见你也出来了,我猜你也许想骑,就把你的马也带来了。良宵难得啊!我们来一次骑马夜游如何?你看好不好?"

梅林笑了笑,马里逊的话引起了她冒险的兴趣,于是说:"反正天太热,好吧!去走走也好。"

汉森听了,不由得在心里怒骂一声,只能眼睁睁地看着他们两个牵着马出花园去了。走到花园门口,才发现汉森的马也拴在那里。

马里逊很惊奇地问:"怎么那商人的马也拴在这里?"

梅林说:"他常来找那工头,大概还没走吧?"

马里逊说:"怎么这么晚了还不回去?要是我,真不敢在丛林里走夜路。"他的话音刚落,远处又是一声狮吼,马里逊打了一个寒噤。梅林看起来却依旧泰然自若,丝毫没有害怕的神色,好像什么也没听见一样。马里逊心里暗暗打定主意,今晚只在庄园附近的平原上骑马走走,决不到丛林里去。狮子再饿,也不见得会到有人烟的庄园附近来。开始时,两匹马在月光下的平原上缓步而行,忽然,梅林纵马直奔丛林,往狮子吼叫的方向去了。

马里逊吓得大声喊起来:"你没听见狮子吼声吗?我们不能往那里去!太危险!"

梅林大笑说:"是的,我听见了,狮子既在林里,让我们去看看它。你跟我来吧!好玩!"

马里逊当然不愿在梅林面前显出胆怯的样子,可是让他在夜里进黑黢黢的丛林去看一头饿得直叫的狮子,他实在害怕。虽然他带着来复枪,然而要在月光下射击,他一点把握也没有。再加上害怕,他自己也明白,手中的枪决不会命中。自从到非洲以来,他还没有猎过狮子,他有一种今晚要丧命的预感。狮子的吼声停了一阵,马里逊的恐惧稍减了几分,心里暗暗祈祷上帝保佑,让狮子走远些,最好碰不见。他们走的是下风,狮子在他们右边,那是一头老狮,已经饿了两天,没有吃过任何东西了,此时正筋疲力尽。过去它在壮年时,也曾经很凶猛,猎取食物几乎没有扑过空,百兽见了它都害怕。现在老了,捕捉本领大不如前,捉不到活的,它只好找动物尸体吃,那往往是别的动物吃剩的,远远不能果腹。这两天,它更是连动物尸体也没找到,所以现在非常饥饿。它虽已年老,但与其他小兽类相比,到底仍算令人生畏的兽中之王。饿狮知道今晚希望又不大了,但为了生存,总要找点东西吃。它等了许久,没见什么动物走近,它想自己蹲在上风,别的动物闻到气味,自然就不敢来了。于是饿狮很快转到下风头去,果然,没过多久,就闻到了人类的气味。它抬起头来,仔细嗅

着,又侧耳细听,因为年老,听觉嗅觉都衰退了,摸不清目标到底在哪里。梅林却早已嗅到了,转头喊马里逊说:

"快来啊!森林里的夜景可好了,路也很宽,我们进去尽兴地玩玩吧!"梅林见他踌躇,又说,"你不用怕那狮子,这里已有两年没有发生狮子吃人的事了。宛那说过,狮子自有林中动物可吃,不是实在饿急了,决不会吃人的。即使有狮子,见人也会躲避。"

马里逊回答道:"啊!是啊!我并不怕狮子,我想骑马在丛林中会很不方便,我们原是来玩的,如果马踏到矮树,或者碰到碍道的横枝,说不定人会从马上掉下来,要是摔伤了哪里,那多扫兴!"

"你说得也对,那我们下马步行好了。"梅林说着就跳下马来。

马里逊急了,忙拦住她,叫道:"啊!不必!我们还是骑马吧!"

他说着,把马一带,径直进入树林的黑暗处去了,梅林紧跟在他后面。那头老饿狮隐伏在前面丰茂的草丛中,静静地等候着。

这时,在树林外的平原上,还有一个骑马的人,看他俩奔入丛林中,心里暗骂,这人就是汉森。他从庄上的花园里一直跟到这里来,这条路是可以通到他的驻扎地去的,他已经很熟悉了。现在他跟在两人后面,有意拉开一段距离,不让马里逊和梅林发现他,前面两个人也正好始终没有回头往后看。汉森见他俩走进丛林,知道今天又是白等一场了,没有必要再藏着避着。他之所以这样大胆非跟着不可,有两个原因:第一是他看马里逊的举动,多半也有劫持梅林的打算,他或许可以找机会利用马里逊,达到自己的目的,但他恐怕梅林真被马里逊劫走,自己多日来的心机白费,还不知要再费多大周折,所以跟在后面,监视着马里逊的行动;第二个原因是前一夜他的营地里已经发生过一件事,他没敢把这件事告诉宛那和庄园上的人,因为他想如果让庄园内的人知道了,他们一定会赞赏他部下的勇敢,说不定会上他营地来慰问,这样一来,土著人与土著人之间一旦建立了感情,就会无话不谈,言语之间,难保不泄露自己的秘密。昨夜是这么一回事:他自己到庄园的花园里去了,他的部下围坐在帐篷里的火堆边,冷不防冲进来一头大狮子,叼起一个人就跑,火堆边的人见同伴遇险,都齐心而勇敢地去援救,狮子寡不敌众,只好放下到口的食物,逃命去了。汉森知道,那狮子未必会走远,白天伏在附近的草丛中休息,晚上一定还会出来觅食的。在半小时之前,他已经听见了狮吼,从吼声中能听出,它饥饿已极。现在他咬牙切齿地暗骂马里逊是个浑蛋,他们所去的方向正是狮子隐伏的方向,也正是通往他营地的方向,因此他飞马追去。

梅林和马里逊走到林中一块小空场上,狮子就躲在离他们百米之外的草丛中,一对发着绿光的眼睛盯着梅林。它摇摆着尾巴,在暗暗计算这两个人和自己的距离。它思忖着,是先扑上去呢,还是等他们自己来送死?它虽很饿,但神志还是清楚的,它明白如果猛冲出去,他们一定会逃跑。头一夜的经验告诉它:要是等黑人睡着了再去,岂不是可以稳稳当当地抓到食物,何必再挨这一天一夜的饿呢?

狮子身后几十米之外,却还有一个人睡在树上一个粗壮的树杈处。他在朦胧中也嗅到人和兽的气味了。在他睡觉的树下面,有一头极大的灰色动物。树上的人跳了下来,在灰色动物的大耳朵边,低低地讲了几句话,就骑到它背上去了。这灰色动物原来是一头象,它举起长鼻子来,摇摇摆摆地嗅着,好像接受了那个人的命令,驮着那个人,向狮子和白人所在的方向慢吞吞地走去。

狮子在那里等得不耐烦了,它焦急地摇着尾巴,好像要咆哮起来。梅林因为耳边有马里逊絮絮叨叨的干扰,所以两人都没发觉到危险的临近。他俩并马走着,马里逊握着梅林的手,不断地说着甜言蜜语,梅林静静地听着,并不答话。马里逊纠缠梅林,要她现在就跟他走,他说:"跟我走吧!跟我一同到伦敦去,我们今晚就从这里启程,向海口方向走,在半路上可以雇到侍从,等庄园里的人知道了,我们早到海口了。"

梅林说:"我们为什么要这样鬼鬼祟祟地偷跑呢?宛那夫妇并不反对我们结婚呀!"

马里逊说:"你不明白,我不能够在这里和你举行婚礼。我在这里是客居,按我家族的规矩,很多手续都不能在这里办。我们不辞而别,的确是不礼貌的,可是这也是出于没别的办法呀,不能算什么错误。跟我到伦敦去吧!我不能再等了!假如你爱我,当然应该跟我一起走。你看见大猿们怎样生活吗?它们找配偶不讲究什么仪式,可是它们也相爱,道理是和我们人类相通的。假如你跟大猿一直同住到现在,恐怕也早有配偶了。这是自然规律,是上帝赋予人类的法则。只要我们的爱情经久不衰,生死不渝,结婚与否,那又有什么关系呢?我行我素好了,何必顾忌别人怎么说呢?又何必得到宛那夫妇的允许呢?我把自己整个生命都给了你,你还要怎样呢?"

梅林听他说得前言不搭后语,一会儿说要和自己结婚,一会儿又说结不结婚没有关系,有些根本不能自圆其说,越发疑惑起来,就毫不拐弯抹角地问道:"你真爱我吗?到了伦敦,真愿意和我结婚吗?"

马里逊说:"我可以指天发誓!"

"好吧!我就跟你走。不过,我始终不明白,为什么一定要这样呢?连宛那和夫人都不告诉一声,他们救了我,又对我非常好,我总觉得不该瞒着他们!"梅林低声说,她斜侧着身子,靠在他怀里,马里逊搂住她,和她接吻。

正在这时候,大象的头已经探了出来,马里逊和梅林一点儿也没有觉察,但狮子已经看见了。骑在象背上的人正是哥鲁克。他看见了姑娘和青年热吻,可是梅林这几年已经长成成年少女了,而且穿着贵族小姐的衣服,加之在夜里,他看不清她的面目,所以没认出这少女就是自己想找的梅林,只以为是一对白人在调情罢了。狮子却惊恐焦急起来,它怕大象出来赶走了它的猎物,于是咆哮着扑了出来。这一声吼,震动了整个山林,吓得马里逊面无人色,浑身直冒冷汗,他看见狮子扑来,什么也顾不得了,一心只想着逃命,身不由己,策马夺路而逃。他拉紧缰绳,用马刺在马肚子上一踢,没命地奔出丛林,刚才还虚情假意地说把整个生命给了梅林,愿意为她去死等等,遇到危险关头,却扔下梅林不管,自顾自逃命去了。

梅林的马也吓坏了,倒退了几步,也想奔出丛林去,但狮子已逼到近处了,梅林倒是没怎么害怕,这种危险,在她已经不是第一次遇到了。象背上的哥鲁克也把这事看得很平常,他认为即使这两个人被狮子吃了,也不过是牺牲了两个陌生的白人,这是狮子猎食的权利,在丛林生活里,这完全可以看作是应该的,不值得大惊小怪。但现在哥鲁克心里,却觉得应该去救那个女子,尽管他并不认识她,可是他为她感到不平,刚才他看到这两个白人是一路来的,而且还看见他们亲亲热热地接吻,狮子来了,那青年不保护这姑娘,却把姑娘扔给狮子,自己逃跑了,这算什么男子汉!出于一种见义勇为、扶助弱者的心理,他觉得自己应该伸出援手。

哥鲁克催象前进,举起长矛,对准狮子飞掷过去。那时梅林的马已到树下,本来狮子可以先扑马的,但既然马上有人,狮子的目标当然是梅林。梅林见狮子扑来,急切中一跳就上了树。哥鲁克看见,觉得有点奇怪,这时他的注意力全在狮子身上,没有工夫多想。只见狮子侧了一下身子,那匹马飞也似的跑了,狮子带着长矛去追那马。梅林因为自己正在腾跳躲闪之间,虽然瞥见有人用长矛掷狮,但在黑暗的林中,也无法看清用长矛的是个怎样的人,以为只是附近的黑人,因而也没有在意。哥鲁克见那少女上了树,已十分安全,狮子也往林外去了。他估计姑娘不会再有什么危险,于是又骑着象回丛林里去了。他不愿再和人类多打交道。一对互相拼命寻找着的童年伴侣,竟这样近在咫尺之间,失之交臂了。

汉森赶到林边,听见狮子正在怒吼,他知道林子里头正在进行遭遇战,一定正在扑咬和反击。他正想进林子去,因为并不打算管马里逊,可是他不能让梅林被狮子吃了。他刚要催马进去,只听一阵马蹄声响,马里逊已经狼狈逃出来了。此时的马里逊身体紧伏在马背上,靴刺踢着马肚子的两边。那马受惊之余,又受了这疼痛,只有拼命地往前奔,那速度几乎跟赛马场上差不多

梅林见狮子扑来,急切中跳上了树。

了。接着,后面又跟出一匹没人的空马来。汉森恐怕梅林被狮子伤害,连忙奔进林去,握着来复枪,准备从狮子口中去救她,哪知狮子也紧跟在马后边追出来了。汉森看了,好生奇怪,狮子决不会放下口中的梅林来追马,那么,她也许没有受害?他用自己的马拦住狮子的去路,瞄准狮子放了一枪。狮子身上本已拖着一根长矛,又挨了一颗枪弹,立刻倒在地上,动了几下,死了。汉森纵马进林中去,大声叫着梅林的名字。

梅林在树上答应:"我在树上,没有事,你把狮子打死了吗?"

汉森回答:"是的,你在哪里?真危险呀!险些送了命,你可要好好记住这次教训,下次一定要谨慎些,不可再在夜里到丛林里来了。"

汉森和梅林一同来到平原,恰巧遇到马里逊,他是听到枪声才拨转马头的。这时他竟大言不惭地欺骗梅林说,他的马吓惊了,他怎么也勒不住它,竟飞奔出林外,幸亏他体力强,费了九牛二虎之力,总算勒住了这匹马,正预备进丛林来救她。汉森刚才明明看见了他的狼狈相,听他现在如此说,心中暗笑不已,但也没当面揭穿他。马里逊让梅林坐在他的马后,三人慢慢回庄园里去了。

十九
一封诱骗的情书

等这三个人走后,哥鲁克从丛林中出来,从死狮身上拔下他的长矛。他觉得自己做了一件好事,含着微笑,非常高兴。不过,有一个疑问总在他心头萦绕,方才看到那少女从马背上跳上树去,这个动作多像梅林啊!难道她是梅林吗?这件事使他思忖了良久,当然也使他带着惆怅的心情思念起了梅林。但他转念一想,梅林失踪已久,生死不明,觉得这不可能是她,不禁满腔愁绪涌上心来。这事却引起了他的遐想,这不相识的少女,既能像梅林一样爬树,那么,面貌和性情会不会也像梅林呢?他很想再有一个机会,好看个究竟。哥鲁克目送着那三个人走过平原远去了,不知平原那一边又是怎样一番景象,因为他从来不知道这里竟有英国人的庄园。自从他领着狒狒群踏平了柯夫杜村,没找到梅林,他就总以为梅林一定是死了,于是心灰意冷,抑郁终日。他只希望在丛林中过一辈子,跟大象做伴,在林中到处漂流。今天无意中邂逅了这个少女,又勾起了他的百结愁肠。可是他不愿在白人面前再出头露面,只是在后面目送他们走远,仍旧回林中睡觉去了。现在的他,实在不愿意再接触他的同类了。

且说这三个人回到庄园,宛那已在廊前等候。几分钟之前,宛那已经听到枪声从平原那边传过来,知道情况有些不对了。他想,也许汉森在归途中遇到了危险,所以去问那个白人工头,才得知汉森早在几小时之前就回去了。宛那从工头处出来,经过马厩,见门开着,进去一看,少了两匹马,一匹是梅林的,一匹是马里逊常骑的。这时他断定刚才的枪声一定是马里逊放的,于是又去叫起工头,想带人去救援,忽见平原上已有人骑着马回来了。

马里逊见了宛那,急忙跳下马就想解释,宛那却沉着脸,冷冷地不理睬他。梅林默默无言,她已看出宛那生气了。这还是她第一次看见宛那如此生气,心里很难过。

宛那说:"你回你自己房里去,梅林!"又转向马里逊说,"请你到我书房里去,我有话要对你说。"他用吩咐的态度,分开了他们两人。他又走到汉森面前说:"你怎么会和他们在一起的?汉森!"

汉森答道:"我正从那工头的屋里出来,坐在花园里,观赏各种刚开的花,这几乎是我的习惯了,连你夫人都知道的。今晚,我看了一会儿花,竟倚在树旁睡着了,醒来时见他俩也在花园里谈话。我和他们离得很远,没听到他们说什么。接着,马里逊牵来了两匹马,他们就一起出去了。我知道,他们的事本来与我无关,我没想去管他们什么。只是我有点不放心,因为那时候已经是深夜了,小姐又是少女,我怕她会遇到危险,所以才跟了去。后来遇见了狮子,马里逊胆怯逃跑了,只丢下小姐一个人在树林里,幸而我的子弹打中了狮子,小姐才脱离了危险。"

汉森说到这里,顿了一顿,静静地站着,看了宛那一眼,又低下头去,做出一副欲言又止的样子,似乎有话要说,又不便说出口来。

宛那问："汉森!你还有什么事?看样子,你似乎还有话要告诉我?"

汉森吞吞吐吐地说："唔,事情是这样的:我因为常在花园里散步,见他俩也常在花园里谈情。不过,请宽恕我,我看马里逊并没有非分的举动,他只是用话引诱小姐,怂恿她跟他一起逃走。"

这几句话,原是汉森编造出来的,他并不知道事情的真相,他心里也在打着他的算盘,他是怕马里逊抢在他的前头,把梅林拐走,他就前功尽弃了。所以他在背后如此编造,以便完成自己的计划。他接着又说:"我打算明天就启程北上,我想,你不妨问问马里逊先生,愿不愿意和我一起走?我觉得你一直拿我当个客人相待,我非常感谢你,因此,我愿意带着这位客人一起走,免得他留在庄园上勾引小姐。我这想法有没有道理,请你考虑。"

宛那低头思索了一会儿,抬起头来,目光坦诚地说:"汉森!谢谢你替我庄园上着想。不过,你知道的,马里逊也是我的客人,现在我还没有足够的证据,能证明他要带走梅林。如果马上撵他走,未免伤了朋友的感情。但是前几天,他无意间流露过想回乡的意思,也许他愿意和你结伴一起走。你不是说你明天动身吗?我去问问他愿不愿意和你一起走。明天早晨,请你来一下,好吗?那么,明天见吧!承你替我关心梅林,我再一次谢谢你!"

汉森告辞出来,自以为得计,心里暗暗高兴。宛那也立刻到自己的书房去,见马里逊在房中来回地踱着,有点局促不安。

宛那没再提晚上的事,只说:"马里逊!汉森明天要动身北上,他托我转达,他对你很关切,怕你一个人走长路不方便,所以想约你一起走,请你考虑一下。明天再见吧!马里逊!"

马里逊明白是自己做事不得体，主人客客气气地下逐客令了，也不好再说什么。

第二天早晨，宛那关照梅林就待在她自己房里，等马里逊离开之后再出来。汉森老早就等在那里了，因为要赶路，头一夜他只是回去了一趟，向部下作了些安排，就又回庄园上来，住在工头那里。

马里逊动身时，宛那不露声色，像往常欢送客人一样欢送他走。等到马里逊走后，他才放下心来，觉得是替梅林办了一件大事。虽然她是阿拉伯女子，宛那却把她看作自己的亲生女儿，他为梅林如此操心劳神，在她面前却什么也没说。他自以为替梅林着想，却万没料到梅林没懂他的意思，反而引出后来一连串的麻烦，使梅林由于一念之差，又遭遇了许多危险。梅林当然感激宛那夫妇的养育之恩，尽管马里逊被逐，她也并不抱怨宛那。不过，宛那不给她一个机会申辩一下自己的行为和自己的想法，她心里却有些不舒服。宛那逐走了马里逊，她也认为是自己连累他的。其实，宛那倒颇看透了马里逊的为人，知道他对梅林根本谈不上爱情，只不过抱着玩弄的态度罢了。

再说汉森同马里逊往他的驻扎地走，一路上，这位英国青年沉默不语。汉森几次想引逗他开口，以便见机行事。走了一阵之后，便拍马上前，与马里逊并马而行，看了看马里逊的脸色说："他待你也似乎太粗鲁了些，把那个少女看得这样宝贵，似乎不许任何人跟她结婚，带她走。据我看，你没什么配不上她的地方，宛那让你走，倒是让那姑娘错过了一门好亲事，再到哪儿找像你这样的丈夫呢？宛那这样做，不是爱她，我看倒是害了她。"

马里逊开始见汉森直言说破他的私事,心里很有几分不快,但的确被他点到了自己的痛处,而且听他的语气,是站在自己一边的,反而认为汉森很有见地了。于是没假思索,气冲冲地说:"那家伙真可恶,我总有一天要收拾他的。在非洲中部他是个了不起的人物,到了伦敦,我就不怕他了。只要他有一天回到文明社会去,我不设法复仇才怪!"

汉森看着时机已到,就火上浇油说:"假如我是你,决不允许别人来干涉我的爱情。要是我有了心爱的女人,一切我自己做主。老实说,我倒不怕他,如果你要我帮忙,我倒愿意帮助你。"

马里逊觉得汉森这个人很仗义,有点感激地对他说:"承蒙美意,汉森!但是在这种荒僻偏远的地方,我们能用什么方法报仇呢?"

汉森说:"我自有办法。依我说,你就偏带那姑娘走。如果她爱你,她就一定会跟你走的。"

马里逊说:"这恐怕很困难吧?因为这一带都是宛那的势力范围,即使她愿意走,也走不了呀!"

汉森说:"怕什么!有我给你想办法,你不必担心。我在这里经商打猎已有十年,对周围地势十分熟悉,这一点,不比他和他的手下人差。假如你决心带她一起走,我一定帮助你,保准让你们安全到达海口。我现在就给你出个主意,你写一封信给那姑娘,我命我的亲信头目送去,约她今晚或明早出来话别,我预料她是不会推却的。我们带着行李依旧按计划往北进发,你和她约定一个日子,信中告诉她我按期去接她。这样,决不会出什么纰漏。我比你路熟,你尽管放心先走,到海口等我们,我随后领着她抄近路赶上你。我保准万无一失,我看就这么办吧!"

马里逊说:"她若感激宛那,不肯跟我走,又怎么办呢?"

汉森说:"要是她不肯跟你走,你就约她说再见一面,道个别,我带人去抢了她来。她来了之后,马上举行婚礼,她对你,怎么说也总还有点感情,到时候木已成舟,她还能不答应吗?"

马里逊听了,起初还想装一下正人君子,打算表示反对,后来一想,也只有这样才能遂自己的心愿,就点头答应了。他自己心里原也是这样主张的,不过自己不便说,被汉森替他说出来罢了。两个人既已心照不宣,也就不再多说,默默走着,各想各的心事,彼此都打着利用对方的鬼主意。

他们的走动声却惊动了林中的哥鲁克。原来哥鲁克又回到昨夜遇见少女的地方,仍旧伏在树上。他的目的是想来探个究竟,他实在觉得那少女太像梅林了,不然,一位贵族小姐,怎么会那么敏捷地跳上树去?他想,她也许会再来,可以仔细辨认一下她头发和眼珠的颜色。他虽然知道这位小姐是梅林的可能性很小,他还是希望能找出一点相似之处来。昨夜在月光下,看她的身材有点像梅林,不知其他地方还有没有相像之处。他正想着,忽然听到马蹄声,他拨开树叶往下一看,认出那个青年正是昨夜狮子扑上去之前,搂着少女的那个人。另外一个哥鲁克虽不认识,但从他举止动作看来,似乎也有些眼熟。哥鲁克想,跟着他们走,或许有可能再见到那少女,于是他一直跟到汉森的帐篷所在地。在这里,马里逊写了一封信,交给汉森,汉森又交给他的一个部下,部下收好信,就骑马飞驰而去。

哥鲁克在附近的树上暗中监视马里逊,他觉得那少女那夜既曾和他在一起,当然也可能住在帐篷中,谁知他等了许久也没见她的踪影。

马里逊在帐篷外的树下走来走去,好像有什么心事。汉森却十分从容,躺在吊床上抽着烟,两人谁也不说话。哥鲁克一直伏在上面观察着、等着,始终也没看见什么动静。后来他觉得肚子饿了,同时他想今天这么晚了,他们未必会走,所以他又回南边去了。哥鲁克本来到处为家,居无定所,走不走都没有关系,只是心里牵挂着那少女,心老系在那夜遇见她的地方。

马里逊走后的那天晚上,在庄园前的花园里,梅林在月下散步。她想起宛那如此对待马里逊似乎太苛刻了些,心里不免有点不平。而宛那夫妇却认为这样做是正确的,而且是完全有必要的,他们俩都明白,马里逊不会有与梅林结婚的诚意。如果马里逊是真心的,他应该按照贵族的规矩,先向梅林的保护人宛那夫妇诚恳地表明求婚之意,这才是正理,可是他不采取光明正大的办法,偏要鬼鬼祟祟,其无诚意之心已昭然若揭。他俩本想把马里逊的阴谋向梅林说透,又恐怕她听了不信,而且会不高兴,所以忍住了没说。梅林对他俩一向是很敬重的,但她毕竟在丛林中过了几年无拘无束的生活,现在凭空遇到了这样一件事,是她从来没有遇见过的。宛那夫妇虽然没有责备她,但也没对她作任何解释,于是她觉得自己在庄园上似乎处于俘虏地位,心里很不是个滋味。这都是因为她太缺乏生活经验,完全不理解宛那夫妇的好意,才产生出绝大的误会。

她此时像囚在笼中的小兽一样,在花园中走来走去。忽然,她似乎听到墙外有赤脚走路的声音,仔细一听,又好像没有了,她于是向庄园内走去。走到墙边草地上，忽然看见一个雪白的信封静静地躺在草上，在月光下显得很耀眼。她觉得非常奇怪，几分钟前她从这里走过去，分明没有信封的，是谁放在这里的呢？难道与刚才的赤脚走路声有关？梅林站住脚，静静地听了一会儿，又嗅了一会儿，她发现有陌生人的气味。隐藏在树后的送信人暗中看着她，见她走到信旁站住了，知道她已经发现了信，就从隐藏处溜走了。

梅林是在森林中有过生活实践的人，送信人的踪迹她都听见了，她料定是马里逊差人来给她送信的。她把信拾起来拆开，读着上面的话：

"我若不能和你再见一面，是不忍心就此分别的，请于明晨一早，来林中话别，谨守秘密。"

信中还有一些述说情爱、思念之类的话，梅林读后，不禁红云飞上双颊，心里也突突乱跳起来。

二十
陷入连环计

马里逊到林中空场上来的时候,天还没亮。他害怕在黑暗中迷路,向汉森要了一个向导。他心里有些害怕,就让那向导在他的马前步行。他们两个人谁也没发现,在他俩的后面,暗中还有一个人在跟着,那就是哥鲁克。原来昨晚他找了点食物吃了之后,又回到汉森的帐篷处来,宿在一株大树上。他听到帐篷中有人出来,一看,是那英国青年,就从树上跟踪而去。太阳升高之后,大约九点左右,马里逊到了空场,梅林尚未来到。那向导在附近找了一个草堆,躺下休息。马里逊把马鞍子卸下来,靠在鞍子上坐着。哥鲁克从枝稠叶密的树上向下瞧着。大约过了一个小时,马里逊显得很不耐烦了。哥鲁克看他的神情,断定他是在等那个少女,心里又暗暗高兴起来,认为今天不会白等,又可以看到那个像梅林的女子了。

一会儿,哥鲁克听到马蹄嘚嘚的声音了,知道是那个少女来了。马里逊耳朵可没有那么好,直到梅林将近空场,方才察觉,他抬起头来,看见梅林所骑的马从树林中露了出来,于是他赶快上马向前迎接。哥鲁克往下看着,那女子戴着一顶阔边帽,自己在树上看不见她的脸。这时她和那英国青年已经依偎在一起了。哥鲁克看到那青年的头钻进少女的帽檐底下去,知道他们在接吻。哥鲁克不免触景生情,想起当年和梅林两情相悦,自然而然地热吻的情景,不觉有些悲从中来,他闭上眼睛,不愿再看了。

当哥鲁克再睁开眼睛时,树下的两个人已经分开了,在那里低声谈话。哥鲁克看那青年,似有催促少女与他同行之意。而那姑娘好像犹豫不决,带着娇媚的神情抬起了头,望着马里逊。哥鲁克仔细辨认,这女子真的太像梅林了。不一会儿,他们谈完了话,青年重又搂住那少女热吻道别。她拉着缰绳,仍向来路走去,那青年在马上望着她。她到了林边,回过头来,向青年挥手道别。"今晚!"她只说了这一句,马已经跑出了一段路了。少女说话的时候,头是扬起来的,这次,哥鲁克可看清楚她的脸了。哥鲁克的心里一紧,好像被人射中了一支毒箭,感到剧痛。他闭上眼睛,用手掩住脸,不久,又放下手来看看,少女已经走远了。只有她驰马过处的丛林,树的枝叶还在摆动。

哥鲁克心里乱极了:这是梦吧?这一定不是真的!怎么会在这个地方,碰到久寻不见的梅林呢?他看她已经长大了许多,比以前更美丽了。是的,哥鲁克看清楚了,当年的小梅林并没有死,依然好好地活在人间,只是,被另一个男子搂在怀里了!而且,这个男子现在就坐在他的下面,哥鲁克抚摸着长矛,抚摸着腰里的草绳,抚摸着他的猎刀。但他终于没有动手,看着那青年叫起向导,骑上马,一同向北边走了。哥鲁克呆坐在树上,双手无力地垂着,他忘记了他所带的每一样武器,陷入了苦苦的沉思。记得当年和梅林见最后一面时,她还年少,半裸着身体,像个小白猿。那时,他从不认为她不雅观,因为他自己也是这样的。可是现在,梅林完全不是昔日的样子了,而自己却是依然故我。

尽管如此,他爱梅林的心还是像从前一样坚定。正因为如此,看见她被别人搂在怀中,他心里十分悲伤。最让哥鲁克不放心的是,那英国青年到底会怎样对待梅林?他是不是真心爱她?又转念一想,没有人会不爱她的,从他们的举动看得出来,梅林也深爱那青年,这一点,哥鲁克是确信不疑的。如果她不爱那青年,怎么会允许他吻她呢?"唉!我的梅林现在爱上别人了!"哥鲁克凄凄切切地想着自己。如果照他旧日的脾气,他真想追上去,杀了那青年,然而,他不能不考虑梅林。那青年是梅林所爱的人,他若杀死他,梅林怎么办?他摇摇头,自己没有这么心狠手辣。他又想去追梅林,当面责问她为什么变心,但他也没有这样做,低头看看自己的一身装束。同样是站在梅林面前,与那个青年相比,自己太不成样子了。他想想自己,本来也是贵族后裔,只因漂泊丛林,流落蛮荒,已退化得和野兽相去无几了。出于这个想法,他有些羞于去见自己心爱的人了。梅林虽是阿拉伯女子,是自己丛林中旧日的小伴侣,可是扪心自问,自己对她有过多大的贡献?有什么理由要求梅林终此一生都属于自己呢?梅林对他也从来没有允诺过什么,现在追上去责问她什么呢?他也明明知道,梅林不是个受一点好处就变心的人,但是,自己与那衣着整洁的英国青年相比,实在相差得太悬殊了。

这时,多年前的往事又在他脑际回旋起来:自己和父母不辞而别,自作主张地远来非洲;又在旅馆里出于不得已,杀死了一个美国流浪汉,不知该怎样了结,只好隐姓埋名,躲入非洲丛林。自此他被环境所迫,无颜再见父母,所以不愿回家。他曾经意气用事，想在丛林中过一辈子。后来也遇到过人类，也向他们求援过，可是不论白人黑人，不但都不以礼相待，而且几乎都视他为仇敌，他因此十分灰心，再不想接触人类了。幸而哥鲁克不久遇到梅林，两人情真意挚，言语既可通，身世又相类似，两个人的友谊一天比一天深。自梅林被柯夫杜抢去之后，哥鲁克简直痛彻心肺，又和人类隔绝了。他情愿与野兽为伴，老死在蛮荒里，一点也没有懊悔的意思。哪知今天他见到梅林，她不但没有死，而且已经成了文明社会中的人了。哥鲁克并不责备梅林爱上了别人，但他对那英国青年不放心，他要在暗中监视他，因为哥鲁克不能容忍自己心爱的梅林被别人欺骗、玩弄，而饱受痛苦。如果发现那青年有损害梅林的举动，他一定要结果其性命，为梅林报仇，也为自己报仇。

哥鲁克本来想跟踪梅林，以便知道她的住处，但那一片平原上无遮无挡，他怕被梅林看见，只好作罢。于是他一心一意去追赶马里逊，但马里逊也已走远，不见踪影了。这种情况下，若换了别人自然不可能追上，但对哥鲁克来说，却没有困难。他知道那青年一定回帐篷去了，虽然他是骑马的，那黑人向导却是步行的，脚印一定很明显。果然，等到马里逊回到帐篷时，哥鲁克已经到了附近的树上了。他伏在那里，一直到下午，再没见那英国青年出来，也没见梅林出来，只有汉森和他部下的一个黑人骑马出帐篷去了。哥鲁克没有留意他，因为除了那英国青年之外，别的人他没有必要关心。

天又黑了，马里逊还在帐篷中。他吃过晚饭，抽了几支烟，就总是在帐篷前踱来踱去，不时吩咐黑人往火堆里加些干柴。狮子的吼声又从远处传来,马里逊匆匆走进帐篷,拿了一支来复枪出来,又回头嘱咐黑人多加些干柴在火堆里,以防狮子闯进来。哥鲁克见他这副怯懦相,对他非常轻视。他暗想,这么胆小的人,怎么有抢劫梅林的勇气呢?像他这样的人,连远方狮子的吼声都吓得心惊胆战,还有资格保护梅林吗?哼!这种胆小鬼,只配待在欧洲的文明社会里,雇几个保镖来保护自己和妻子。哥鲁克想到这里,脸上不禁浮起一阵轻蔑的微笑。

这时汉森和他的部下已到了马里逊和梅林约好见面的空场,天也已经昏黑下来了。他叫黑人等在那里,他自己到平原边等候。约到九点钟时,才看见有人骑马飞驰而来。没有几分钟,梅林已到了他身边。她似乎很难为情,但当她看出接她的人是汉森而不是马里逊时,吓了一大跳,几乎想拨马退回去。

汉森拦住她说:"马里逊先生从马背上跌下来,跌坏了腿骨,不能来接你了,特派我代他来接你,领你一同回驻地去。"

梅林在黑暗中,只能听见他的说话声,却看不到他脸上的神情,很是吃惊,一时说不出话来。汉森又继续说:"我们快走吧!免得宛那发现了,派人追上来。"

梅林问:"马里逊的伤势重吗?"

汉森说:"不算太重,但这地方没有医生,需要休息一两天才能好。在今后的几个星期中,我们还有路要赶,途中不一定能找到很好的休息地方。所以我劝他今晚在帐篷中好好地休息养伤,我替他来跑这一趟。"

梅林听他说得入情入理,才说:"好的,那我们走吧!"

汉森暗自得意,拨马飞驰,在前面领路,梅林跟在后面。他们顺着丛林,往北走了约一里多路,然后转向西方的丛林走去。梅林不知道方向,也不知道汉森的帐篷在哪里,所以紧跟着他,相信他不会走错路的。他们整整走了一夜,一直向西。到了天亮,汉森才停下马来,马吃青草,人吃些早准备好的干粮,当作早餐。吃饱之后,又继续赶路,到了中午,才第二次休息。他对梅林说:"你大概累了,在这儿睡一会儿吧!让马也休息一会儿,吃点青草,我们还要赶路呢!"

梅林说:"我没想到帐篷离庄园有这么远,你常到庄园去找那工头,难道每次都要跑这么远的路吗?"

汉森说:"原先并不远,因为我走之前,给手下人下了命令,让他们一到天亮,就拔了帐篷先出发,所以加大了距离。但是队伍的尾子离我们不会太远,他们带着行李走得慢,我们比他们快多了。我想,明天一定能够赶到的。"

又过了一夜,第三天又跑了半天,总看不到大队人马的踪影。梅林从小就生活在丛林中,对于辨认足迹,也和哥鲁克有着差不多的本领,她在这几天中,留心着地上,发现不像有大队人马刚经过的样子。偶尔有几个脚印,也已经时隔多日了,人数虽很多,但没有马蹄的痕迹。他们走的是象群常经过的地方,风景很好,但危险也多。

梅林终于起了疑心,发现汉森一定怀着什么鬼胎。她看他常用一种贪婪的、色迷迷的眼睛偷看自己,在庄园上初见到他时曾感到面熟的想法,现在又浮上心头。汉森因为已有几天没有修面,两颊、下巴、脖子上的金黄色胡髭渐渐长起来了。梅林越来越觉得这绝不是个陌生人,只是想不起来在哪里见过他。到了第四天早上,梅林终于忍不住了,勒住马质问他。

汉森说:"他们跑得这样快,确也出乎我的意外,大概今天我们一定可以追上他们了。"

梅林说:"我敢断定你的部下没有从这里经过,我看得出,路上的脚印是几个星期以前的。"

汉森哈哈大笑说:"没看出,你有这样的好眼力!你为什么不早说呢?否则我早告诉你了。我们走的是捷径,今天如果赶不上他们,也该看到点踪迹了。"

梅林现在已经明白汉森说的完全是假话了,他把她当成傻子,现在远离人迹,还能追得上谁呢?她知道上了他的当了。她一面暗暗留心,想找机会脱身,一面又在仔细琢磨他的面貌。她把自己见过的白人在记忆中一个个过滤,想来想去,总是模模糊糊,无法定格在某一个记忆上。

就在这天下午,他们走到一条幽静的长河边,西岸立着一个大圆圈,好像是营地。汉森说:"好了!我们到了。"他说着掏出手枪来,朝天放了一枪,帐篷中立即有黑人走出来,站在河边。汉森对他们讲了许多话。梅林一看,其中却没有马里逊。黑人撑过一条独木船来,汉森扶梅林上了船,然后,他自己也坐到船上,叫两个黑人牵着两匹马泅水过去。

到了对岸,梅林第一件事就是问马里逊在哪里,她已看出情况不妙,很有戒心。汉森指着中间一个帐篷,骗梅林说:"他在那里。"说着,他领梅林到帐篷门口,梅林往里扫视了一遍,一个人也没有。她转过头来,正想责问汉森,却见汉森露出了一脸凶相,拦在帐篷门口。

梅林厉声问道："马里逊先生到底在哪里？"

汉森嬉皮笑脸地答道："他呀，他不在这儿，不然，你怎么会找不见他呢？嘻嘻！有我在这里，我自问比那个脓包少爷要好多了，我看你可以不要他了，你已经有了我啦！"汉森说着，一阵狂笑，直向梅林扑过去。

梅林大吃一惊，正想反抗，汉森已经抱住了她。她的两条胳膊被他用双臂紧紧箍住。他一直把她向帐篷角上推，在那个角落里堆着一堆毯子，汉森就将她推向毯子。他的脸冲着梅林的脸，色迷迷的眼睛充满着贪馋的光，像要吃了她。梅林一边挣扎，一边端详着汉森的面目。忽然，她想起来了，以前她也曾受过这家伙同样的欺辱！哦！不错！他就是瑞典人马尔宾！就是他，亲手打死了他的同伙詹森，要对她进行非礼。那一次，幸而有宛那赶到救了她。她现在才明白，为什么自己总看着汉森眼熟，而又一直没认出来，原来因为他剃了胡须，这几天他胡须又长了起来，而且同样露出了一脸狰狞相，梅林才确认无疑。但是，今天却没有宛那来救她了。

二十一
马里逊的忏悔

林中空场上,马尔宾留在那里守候的黑人,还在树下坐着,足足等了一个多小时,仍不见主人回来,身后却忽然来了一头狮子。他没命地爬上树去,才上树,那兽王已到了空场。它在草丛中找到一头羚羊的尸体,大嚼了一夜,天亮才走。那黑人紧抱着一根大树枝,心惊胆战,一夜没敢动。他跟随马尔宾已有一年多,平日也知道马尔宾的为人。经过这一天一夜,他心里已明白过来,这一定是他主人的毒计,有意丢他在这里喂狮子。到了第二天早晨,太阳又升起来的时候,狮子吃饱了,又回丛林里去,他才放心跳下树来,寻路回去。此刻这黑人的心里充满了对马尔宾的怨愤和想复仇的念头,打定主意,只要再见到马尔宾,他会鼓足勇气去杀死他。

走过一段路之后,他忽然发现右面有两匹马新走过的足迹,不由得笑起来,脸上露出识破别人诡计的狡猾神色。原来黑人大多喜欢传闲话,无论听到了什么事,都喜欢一传十、十传百地传开来,散播得十分迅速。马尔宾的部下,有的跟他在非洲已有十多年了,对于马尔宾的一切不法行为,大家差不多都知道。这个黑人不但知道马尔宾过去一切的事,最近马尔宾对马里逊所施的诡计,也从另外几个黑人口中打听出来了。他还知道马尔宾前些天派了一半人,由一个头目率领,往西面走了,驻扎在大河西岸,等候命令。由那两匹马的失踪和西去而推测,马尔宾一定欺骗了马里逊,自己拐走那个白种少女,到大河西岸去了,丢下马里逊在北面帐篷中,听凭人人敬畏的宛那把他捉回去治罪。黑人心里都觉得马尔宾使的这一手,太黑心太歹毒了。他边想着这一切,边飞快地上北方去了。

现在再回过笔来,说说北边驻地的事。马里逊在帐篷中怎么也等不见汉森回来,他心里疑窦丛生,又感到有些可怕,一夜都没能合眼。天快亮时,他疲倦极了,才睡了一小会儿,头目就催他起来,收拾行李,赶快赶路。马里逊不肯马上动身,他要等汉森和梅林回来。头目心里却知道,逗留在这里非常危险。他知道主人的行为足以激怒宛那,而在宛那管辖的地界内,出了违法的事,若被他捉住,一定不能宽恕他们的。头目见马里逊不肯走,只得把实情照直说出来,说明利害,催马里逊赶快上路。马里逊听了,又急又怕,怕汉森去接梅林,被宛那的人捉住,问出口供,必然来抓自己。宛那素来嫉恶如仇,蛮荒地界里又没有正式的法律,一切由他个人仲裁,更何况诱拐人口的罪宛那更是不会轻饶。马里逊耸了耸肩,心里暗想,若被宛那捉住,问出自己有意诱骗了他的义女,汉森虽也有责任,事情到底是自己做的,结果恐怕是难逃一死。于是,他站起来说:"既然这样,我们必须马上动身,你熟悉北上的路径吗?"

头目点了点头,立刻传下命令,拔了帐篷,整装北行。

那黑人头目在前边领路,一路急行军,直到中午,才赶上前面大队的黑人。大家见他赶来,都高声呼喊着,表示欢迎。大家见面之后,他气喘吁吁地向大家说了自己所遇到的事,以及自己心里的疑惑,于是全队的人都知道主人的诡计了。马里逊也知道上了大当,向黑人一问详情,心里就更明白了。他悔恨自己为什么这么愚笨,又这样轻信,竟被汉森当作诱饵,诱骗了梅林。现在梅林落入汉森手中,令人十分忧虑。转念一想,自己对梅林也没有诚意,即使梅林不落入汉森之手,而被自己骗到手,前途命运也好不到哪里去。只是自己既顶着个拐骗的恶名,实惠却让别人得了,又怎么能甘心呢?

于是他问那领路的黑人:"你知道你主人的去向吗?"

黑人说:"我知道的。前些天他就把驻地分成了两处,他既不在这里,那一定是向日落的那个方向去了,他在一条大河的西岸建了帐篷。"

马里逊又问:"你能带我到他西边的驻地去吗?"

那黑人想了想,带马里逊到西边去,违背主人的命令,固然会受责,但是如果被宛那追上,后果会更可怕。听马里逊如此说,正合自己想报仇的想法,而且又可以借此逃避宛那的追赶,一举两得,何乐而不为呢?于是他连忙点头答应。

马里逊现在已知道了汉森的全部阴谋:汉森把这队人马放在北面,就是引宛那只追这一队;他自己则可以带着梅林,安安稳稳地上西海岸去。汉森也算是机关算尽,煞费苦心。马里逊心里也怕宛那,便中途改变了主意,对那头目说:"你带着全队赶快北上,我替你们把宛那引到西面去。"

头目本想向西去找马尔宾报仇的,但想了想还是答应了。他何以不愿同马里逊西行呢？因为他知道马里逊胆小如鼠，往西去的路是大象常走的一条道路，危险很多，若真遇到危险，马里逊是决不会和自己同舟共济的。况且，宛那也是足智多谋的人，不难探听到西边的一队，说不定会兵分两路追赶。既然两边都不见得躲得开宛那的追兵，那么，不如离开马里逊，躲开西行路上的危险，也可以从此脱离瑞典主人的束缚了。自己衡量一下，没有必要担着偌大的风险，去保护这怯懦的白人。这头目知道一条极秘密的小道，是一般白人所不知道的，一直可以通到北部故乡，路上水草肥美。即使宛那追上来，他们不知道路径，自己和队伍也是容易藏匿的。他等马里逊走了，就把自己的计划告诉了部下，全队人当然都赞同，于是他们一直向北走去。马里逊只带了一个黑人向导，寻路往西南去了。

哥鲁克一直在帐篷附近的树上守候，见这一队人拔起帐篷向北方进发了。他知道这不可能是去会梅林的，因之不再追踪，慢慢地回到第一次遇见梅林的空场上，希望能在这里再见到她。

哥鲁克的心里是很矛盾的，起初他看到梅林还好好的活在人间，喜出望外，连失恋的痛苦也忘了。但是一阵兴奋过后，悲酸的感情又涌上心来。他到了空场上，还希望梅林能再来，凄凄切切地等了一个多小时，忽然看见来了一队黑武士，领队的是个穿军服的英国人，他们的脸色都很气愤，一齐向哥鲁克躲避着的树丛走来。他们来做什么呢？对此，他根本不想管，他只留心地在他们中间寻找，看有没有梅林。哥鲁克看着他们走过去，中间并没有梅林。这一队人只留心地上的脚印，没注意到树上有人。忽然领队的人一声令下，他们一齐飞也似的跑向北方去了。对于这些,哥鲁克丝毫不以为意,呆呆地在树上伏了一两个小时,觉得梅林不会来了,便跳下树来,回到丛林中去。他似乎举步无力,像老年人一样,驼着背,向西走去。

马里逊跟着那黑人骑马在丛林中前进。到了有些大树枝叶低垂的地方,他们不能骑着马走了,只好牵着马步行。他们走了一天,大多是难走的路,只能牵着马慢慢走,马里逊也只好跟着俯身前进。

马里逊一边走,一边心绪不宁地想:梅林已落入瑞典人手里,虽不知瑞典人劫持她的目的是什么,但恐怕是凶多吉少。他对汉森的怨恨越来越强烈了,心里转而为梅林着想起来,即使此去得手,能把梅林从瑞典人手里夺回来,梅林能有什么美好的前途呢?自己不也是和汉森一样,抱着玩弄梅林的心理吗?何曾对她有尊重之心?梅林即使被自己救回,也没什么好日子过。他这样一想,似乎有点良心发现,对梅林反而产生了怜悯和同情。他进而回想自己在文明社会里的时候,也见过不少美丽的女子,但她们大多重金钱而轻情义,拿她们和梅林相比,他愈加觉得梅林超凡脱俗、清纯潇洒,没有摩登女郎的恶习。相比之下,倒是自己的思想太卑鄙龌龊了,他不觉深深悔恨起来。这时他的心里顿时把世俗的门第观念完全放了下来,充满了对梅林的尊敬,恨不得把一腔至诚的爱情,无保留地奉献给梅林。他觉得当前首要的事,当然是要把她救出来,万一她被杀害了,也非要替她报仇不可。马里逊本来是个花花公子,养尊处优惯了,没吃过苦,更没受过委屈。然而现在的他却不是昔日的他了,心里深深的愧悔,加上真挚的爱情,使他产生了愿意牺牲一切的决心。他的衣服被荆棘挂破了,身上也被刺伤多处,冒着鲜血,加上长途跋涉,困乏已极,但他一改过去的常态,毅然奋不顾身地朝前走。想着由于自己过去的错误观念,害了无辜的梅林,使她身陷坏人之手,现在只要有一线希望,都一定要设法救她出来。自己虽然已很疲乏,但还是催着黑人快快往前走,嘴里不断地嚷着:"太迟了!太迟了!太迟了!恐怕救不出她了,但报仇总还不晚!"

直到丛林里已昏黑,辨不出路径了,马里逊怕迷了路,才停下来休息。可是才到下半夜,他立即又催着黑人赶路,若不肯走,就以处死来逼迫他。黑人被逼无奈,只得遵命。那黑人心里十分纳闷,为什么前两夜怯懦得要命的马里逊,现在竟会变得这样不顾死活,不免对他畏惧起来,老是想设法逃走。马里逊已看出他的心思,随处小心防备着。白天,马里逊不许他离得过远;夜间,两个人也睡在一起。马里逊还砍来一些荆棘,铺在四周,两个人同睡在中间。这晚,马里逊实在太疲乏了,睡得很甜,但是他监视黑人的心并没放松。第二天早晨起来,他觉得浑身像散了架,腿也几乎抬不起来了,但他救梅林心切,仍继续赶路。他们在河边打到了一头小鹿,烤熟了当作早餐,胡乱吃了些,把剩下的鹿肉带上,又赶紧上路。

这时,哥鲁克已走到丛林的最西头,找到了他的大象。他在寂寞怅惘的时候,能够找到这个颇通人性的动物做朋友,总算得到了几分快乐。大象见了哥鲁克,也很快活,用鼻子把哥鲁克卷起来,放在自己的背上。哥鲁克也素来把这个象背看作自己安乐的卧榻,如果赶了长路,觉得累了,总叫象把自己卷到象背上去睡觉。有时吃过了饭没事做,也蹲在象背上,伏在它的大耳朵旁,跟大象聊天。

宛那率领的一队黑武士果然上了马尔宾的当,被他的部下引着往北方去了,越走离要达到的地点越远。宛那夫人平日最是疼爱梅林,这时,她也愁眉不展,在庄前凄凄凉凉地倚门翘望,等着丈夫带梅林回来。

二十二
激烈的枪战

当梅林认出马尔宾是旧日的仇人时,已经迟了,她已被马尔宾紧紧抱住。她拼命地挣扎,却一声也不叫喊,因为她知道叫喊也没有用,丛林生活给她的锻炼,使她懂得了一个道理:要生存,就必须靠自己,此时此刻,是不会有人来搭救她的。她在挣扎中,一只手无意间触到了马尔宾腰带上的手枪柄。这时,马尔宾已把她按倒在毯子堆上了。她趁他不防,一下子拔出了手枪,用力把他一推,自己也趁势站了起来,用手枪对准马尔宾的胸口,抠动了扳机。

谁知,事出意外,手枪里竟没上子弹。马尔宾立即一跃而起,又冲上前来。梅林慌了,急忙往帐外逃去。马尔宾动作也快,立刻追了出去,在门口拦住去路,又把梅林抓住了。梅林怒不可遏,转过身去,举起枪柄,对准马尔宾的头顶狠狠砸去。马尔宾没防备她这一下,痛得受不住,向后一倒,晕在地上了。梅林趁此机会,立刻奔出门去,可是被门外的黑人看见了。黑人围了上来,拦住她的去路。但他们不知道梅林的枪里没有子弹,梅林于是用手枪吓住黑人,冲出重围,窜进了丛林。她知道只要一进丛林,就算逃出了马尔宾的手掌,回到了自己所熟悉的大自然,便立刻跳上树去。

　　这时的梅林又回到了幼年时的生活环境,她先脱去裙子、鞋子和袜子,因为在树上跳跃,这些东西不但没用,而且妨碍自己的动作。她只留了一件衬衫和一条衬裤,借以御寒和抵御荆棘。忽然想起自己拿着一支空手枪,既不能防身,也不能猎食,这样在丛林里是绝难持久的。她很后悔在打倒马尔宾之后,为什么不搜寻些枪弹带来呢?此时梅林打算回宛那庄园去。是的,梅林现在已经醒悟了,她要到宛那夫妇跟前去请罪。以前的事,确实是自己错了,宛那夫妇是深爱自己的,绝没有半点恶意。但她此时没有防身武器,回庄园却还有好几天的路程,未免危险。于是她决心回帐篷去拿点子弹,虽然这样做十分冒险,但是为了今后若干天的安全,这样冒一下险是值得的。

　　梅林以为马尔宾被自己打死了,准备等到黑夜,溜进帐篷去搜寻子弹。但当她才回到帐篷附近的大树上,想找个藏身之处,却看见马尔宾怒气冲冲,一边骂着,一边抹着脸上的血,从帐篷中走出来,在找黑人问话。梅林见他问了一阵,带上一群黑人,匆匆忙忙往丛林里去了,猜着大概是去追捕自己,不觉暗笑。她知道帐篷中已经没人了,便跳下树来,走了进去。她四处寻找,却始终没找到子弹。她环顾帐内,见帐篷的角上放着一只箱子,她知道这是马尔宾的东西,一定是他叫头目搬到这里来的,箱子里很可能藏有子弹。

　　梅林知道现在不能慌,努力镇静了一下,然后用极快的速度解开了捆在箱子上的绳索。箱子并未上锁,她很容易就打开了,里面是些信件和纸片,还有些从旧报纸上剪下来的新闻。梅林从一张《巴黎日报》的剪报上,发现了一张女孩子的照片。剪报上的文字她全不认识,照片也好像很旧了,颜色都变黄了,而且很模糊。这到底是怎么一回事?梅林一点儿也不懂。她只觉得好像在什么地方曾经见过这照片上的女孩,也依稀记得见过这张照片。在很久以前吧?梅林仔细端详着,在记忆中搜索着。她蓦然记起,这是自己的照片,而且是多年以前的。这是从哪里来的呢?为什么会在马尔宾箱子里?为什么要把自己小时候的照片登在报纸上?报纸上的字,究竟说了些什么?梅林既觉得惊奇,又百思不得其解。她站在那里,对着照片凝视了许久,忽然想起,自己此来的目的是找子弹,于是她又重新翻看箱子,果然在箱角处找到了一小匣子弹。她认真查验了一下,正是这支手枪上用的。她把子弹放进袋中,又拿起照片来,端详了一会儿,还是不明究竟。

她正在发愣,忽然帐篷外传来了嘈杂的人声,梅林知道马尔宾一伙人回来了,听声音,马尔宾也在其中。她很快地跑到门边,偷偷向外一望,见马尔宾带着三个黑人直奔帐篷而来,自己若从门口出去,显然是不可能了。她不觉慌了手脚,忙把照片藏在腰带里,把子弹推上膛,掉转身来,瞄准门口。她听见马尔宾在帐篷外用粗暴的声音发布命令,知道他还不会马上进帐篷来,自己也许还有机会脱身。便到帐篷后面揭起一角,向外看了看,居然一个人也没有,她赶快伏下身子,轻轻爬了出去。她刚出去,马尔宾已经吩咐完了,走进帐篷来。

梅林听见马尔宾的脚步声,急忙站起来,三步并作两步跑进一间黑人的茅屋。她环顾了一下,幸而一个人也没有。此时她还能听见从马尔宾的帐篷中传来的怒骂声,大概他已发现箱子被人翻过,便叫头目进去,大声问话。她认为这是个好机会,便一个箭步蹿出茅屋,从后面奔出马尔宾的营地范围,那里有一株大树,因为黑人嫌它太粗,没有伐掉。这对梅林真是件好事,她立刻跳到树上躲了起来。

不一会儿,马尔宾又恶狠狠地带着黑人到丛林里去了。这次马尔宾也吸取了教训,留下三个黑人守在帐篷中。梅林等他们走远,才跳下树来,一口气跑到河口。那里泊着几条独木船,以备渡河之用。梅林看船太笨重,决不是自己的体力能够推动的,但除此之外,又没别的方法可以渡河。而且停独木船的地方离马尔宾营地的边缘不远,她若被留守的黑人看见了,一定会被捉回去。她只有等到天黑再走,才是稳妥的办法,于是她又重新躲到树上,等候时机。她等了约一个小时,有一个黑人竟一直站在那里,一动不动。

又过了一会儿,马尔宾气喘吁吁地从丛林中回来,他没有立即回帐篷,而是先到河边,细数停泊在那里的独木船。梅林猜想,他一定是怕自己渡船过河,逃回宛那家里去。马尔宾数完,面上微露喜色,因为船一只都没有少。他回身命令头目,叫部下都出丛林来,把船全部推下水,只留一条不要动,依旧泊在那里。马尔宾把所有的黑人,连同看守帐篷的三个,都叫走了。所有的人,都上了独木船,向上游驶去。

梅林一个人蹲在河边树上,见这群人居然留下了一条独木船,而且连船桨都有,一个人不剩,都走光了。她暗自庆幸有这样绝好的运气,现在不走,还等什么呢?错过这个机会,可就难再找了。她敏捷地从藏身处向地上看了一下,大树离独木船大约十多

梅林已驾船到了河心。

米,便立刻下树,向独木船走去。原来马尔宾知道梅林还在丛林里,至少要一两天才敢回到河边来,因此他派一部分人到林中搜查,自己回到河边,布下这个陷阱。他颇以为这是妙计,认为梅林绝逃不出他的手心去。他率领黑人向上游划去,其实并没走远,只转了一个弯,就下令停止前进。把独木船泊在一个小港汊里,自己带人找到一个合适的所在,□望着原来停泊独木船的地方。他忖度着梅林在一两天之内,如果不被他在林中布置的黑人捉住,一定会到河边来找渡船,到那时即使她有再大的本领,也逃不掉的。他心里正在得意,信步走到高处一望,事情却大出他的意料,远远看见梅林已驾船到了河心。马尔宾心中又急又怒,马上带着手下人上船,一齐追去。梅林也看见他们了,拼命快划,希望在他们追到之前先跳上岸去,一上了丛林中的大树,就不怕他们了。她奋力划了一阵,船已接近岸边了,她感到可以放心了。

马尔宾现在心里很焦急,他唯恐梅林再逃掉,于是催促部下,用足了力气划桨,边划边不住声地催骂着。他本人乘的那条独木船最快,离她大约还有百米远。没多久,梅林已划到绿荫低垂的岸边了,立即跳上树去。马尔宾大声地呼喝她,她根本不理睬。马尔宾气极了,什么都顾不得了,举起来复枪,对准树上射去。

说来也真巧,在马尔宾的船旁浮着一根木头,慌忙中他没有注意到。当他正在抠动扳机的时候,独木船被浮木撞了一下,以致他的枪口在打响时歪了。这位优秀的射手,这次竟没有击中,子弹从梅林头上划过。梅林就在这一撞一歪之中,逃过了被射中的灾难。她不慌不忙,跳到浓密的树丛中去了。在梅林的前面出现了一片空旷地,看得出这里曾经是土著人的一个小小村落,一些颓败的茅屋和谷仓还依稀可辨,村落的周围有一片一片的田地,成排的灌木从那些耕种过的土地上长出来。连曾经是村落街道的地方,也长出了一棵棵小树。梅林心里不禁一阵高兴,因为颓败的村落虽然又荒凉又沉寂,但总比一片什么都没有的平原地带好,它像舞台上的一道幕布,可以帮她藏身,在马尔宾登陆以前,她可以平安地穿过去,从容地进入丛林。梅林从树上跳下来,她满以为可以放心大胆地穿过这里了,可她万万没有想到,就在此时,在那摇摇欲坠的谷仓墙后,以及破败小屋的门后,却有十来双敏锐的眼睛在偷看着她。她对于已临近身边的危险,丝毫没有察觉,只管顺着村间小路朝前走去,这条小路会十分方便地把她引向对面的丛林中去。她当然意想不到,在这破落的小村庄里,竟伏着危机呢!

与马尔宾枪击梅林同时,在一里之外偏东的地方,也就是马尔宾骗梅林到河边去的那条路上,有一个衣服破碎的青年,面容憔悴,须发蓬乱,一拐一拐地走来。远远听到枪声,他在丛林里站住了。给他做向导的黑人恭恭敬敬地对他说:"先生!我们快到了。"

白人青年点点头,还是催着他前进。这青年就是马里逊。他一路上穿过荆棘树丛,脸上和手上布满了血道子,衣服也被荆棘挂破了,遍体伤痕,血迹斑斑,然而,这些却使他变成了一个新的马里逊,比他从前衣冠楚楚时勇敢多了,有英雄气概了。是的,在人类心中,都含有一种刚毅高贵的种子,或因受刺激过度,明白了自己的过失,想方设法予以挽救;或知道伤害了心爱的人,谋求补救之策,都足以刺激这颗种子发芽生长,使人的全身心发生变化。现在的马里逊就正处在这种变化之中。他们两人急匆匆地往发出枪声的地方赶去,黑人空着手,没有武器,因为怕他中途逃走,所以赶路的时候马里逊不敢把武器给他。现在快到目的地了,他预料到和马尔宾一定有一场激烈的战斗,他也知道这黑人对马尔宾和自己一样是切齿痛恨的,才把手里的来复枪和子弹给了他。他自己还有一支手枪,马里逊原是一个著名的射手。

青年和黑人正往前赶,忽然又听到一阵枪声,接着,又是几声零碎的枪声,夹杂着悲惨的叫喊,再后来就没有声音了。前面的路比丛林中的路更难走,马里逊跌倒了十多次,那黑人也有两次迷了路。后来,终于到了一个大荒村的空场上,在路边倒着一个黑人的尸体,胸口中了一枪,身上却还有热气。马里逊和向导观察了一下四周,没见有什么人。他们站下来静听,只听见林子外面隐隐有船桨拨水的声音。

马里逊拨开树的枝叶向外一望,外面真的是一条大河,这时,向导也跟在他的身后往外张望。他们俩一同走出丛林,寻路到河边去,立刻看见了在河中行驶的马尔宾的独木舟,黑人眼尖,先认出了他,马上指给马里逊看。

马里逊问:"我们怎么过河去呢?"

黑人向四周望了望,摇了摇头。这里没有船,也没有桥,河里有不少鳄鱼,显然不能游水过去。往下游一看,两个人不由得眼睛一亮,原来那里正巧有他们想要的东西,就是梅林用过的那条独木船,还横在树下。黑人拉着马里逊的手臂,指给他看,马里逊非常高兴。他们马上跑过去,跳进船里。一会儿,这条船就到了河心。黑人划桨,马里逊坐在船头,照直向对岸划去,直奔瑞典人的驻营地。马尔宾跳上了岸,回过头来,向河心看了一眼。他已经发现马里逊所驾的独木船了,脸上有些惊愕的神色,于是招呼他的部下,命令他们留神后面。

马尔宾站在岸上没动,远远望着,看见只有一条船,船上只有两个人,便放心了一点。船上的白人是谁?离得太远,他还看不清。马尔宾的部下中有人认出马里逊旁边的黑人就是他们旧日的同伴,就告诉了马尔宾。马尔宾再仔细一看,认出了马里逊。马尔宾也感到马里逊和以前不同了,若在从前,马里逊绝不敢只带一个黑人,在丛林中赶这么远的路程。马尔宾手搭凉棚,再仔细一看,才发现马里逊连衣服带容貌都有很大改变。马尔宾心里暗暗纳罕,马里逊怎么会在这么短时间之内变得如此大胆呢?居然敢穿过这危险重重的丛林,来到这里?忽然他像明白了什么,也许马里逊是来找自己报仇的!不消说,这么多年来,马尔宾做的亏心事很多,他自己已经视为家常便饭了,所以平时并不感到怎么畏惧。事到如今,他只能采取一种方法来对付,就是举起来复枪,瞄准等待着。

渐渐,独木舟迫近了,连讲话的声音岸上也能听到了。马尔宾举着枪喝道:"你来干什么?"

马里逊此时真是仇人见面分外眼红,站起身来骂道:"你这无赖!还有脸问我!"

他抽出手枪来,开了一枪。马尔宾的火枪也同时发出了响声,两支枪几乎是同时开的。马尔宾胸口中了子弹,手中的枪掉了,按住胸口,不由得扑的一下跪下了。马里逊也中了弹,身子抖动了一下,接着一挺,站立不住,慢慢倒在了船底。

马里逊船上的黑人见了,慌乱得不知该怎么办。假如马尔宾死了,他可以放心地奔到岸上去,归入旧伙伴的队伍里;如果马尔宾只是受了伤,没有死,他就不能这样做了。他站在船上观望了很久,一直难于决断。他对新主人马里逊,经过这一段长途跋涉,已经渐渐产生了敬爱之心。开始,他以为他中弹死了,心里很难过,用凄凉的神情望着马里逊。过了一会儿,见马里逊翻了个身,原来他还活着!黑人忙把他扶起来,边握着桨,边问他打中了什么地方。哪知正在这时,岸上又飞来一颗子弹,恰巧打在黑人头上,黑人手里还握着桨,就倒入水中去了。马里逊吃了一惊,软弱无力地转头向岸上望去,只见马尔宾伏在地上,左边臂肘支着身子,托住火枪,正向自己瞄准。这位英国青年敏捷地向船底一躲,一颗子弹从他头上飞过。马尔宾本是精于射击的,这时只因受了重伤,枪口才失了准头。马里逊伏在船底,慢慢抬起身来,右手紧握手枪,想从船舷边放枪。马尔宾也看见了马里逊的动作,于是又放了一枪。由于水流,船已向下游漂去,所以没有打中。马里逊瞄准马尔宾也放了一枪,这一枪却打中了。

马尔宾虽然中弹,却没有死,竭力挣扎着还了一枪。这一枪打在了独木船的船舷上,离马里逊的头不远。马里逊也继续放着枪。一个在岸上,一个在船上,不断交替射击,但都没打中对方。一直到马里逊的船顺水漂流出射程以外,这两个都负了伤的人才停火。

二十三
再陷魔掌

此时的梅林,以为已经躲过了危险,只须走过这个颓败的村落,就可平安进入丛林了。但令她感到非常意外的是,她刚走过了村落的一半,忽然从四周的茅屋中跑出二十多个穿白袍的当地土著黑人,在他们当中还有一些混血儿。梅林已经感到不妙了,正想设法逃走,肩头却被一只手抓住了。她转过身来,想求他们释放,却见一个身材高大、带着狰狞笑容的老头儿,已经站到了自己面前。她吃惊地看到,这老头儿就是从小虐待她的阿拉伯酋长。她一见他,立刻想起了幼年时所受的种种苦痛,不觉倒退了几步,好像犯人站在法官面前,听候宣判一样。酋长老了许多,但还是认得出来,自己不但长大了,穿着也完全改变了,但她相信,酋长一定也认出了她。

酋长走近梅林,粗暴地说:"死丫头,你到底还是回来了?你不是会跑吗?回来干什么?回来想问我讨吃的,让我保护你吗?"

梅林大声说:"我什么都不向你要,你快放我走,放我回宛那那里去。"

"宛那?"酋长也知道宛那,由于宛那一向主持正义,常干涉他们的不法行动,所以他们和宛那结仇很深。现在听梅林提起了宛那,老酋长顿时暴跳如雷地叫起来:"你要到宛那那里去吗?噢!原来你从我这里逃走后,一直住在宛那的庄园上!方才从河口追你来的是谁?就是宛那吗?"

梅林说:"不是。追我的人,就是从前到过你村里,串通莫必达,被你驱逐出境的瑞典人。"

阿拉伯酋长听说是马尔宾,勾起了旧日的气愤,眼睛里几乎冒出火来,立刻叫手下人集合,先派了两个人把梅林看管起来,其余的人跟他一起赶到岸边去,准备把马尔宾的人一网打尽。马尔宾正从林中河边走过来,瞥见酋长,吓了一大跳。原来马尔宾在丛林中谁都不怕,只怕两个人,一个是宛那,另一个就是这位阿拉伯老酋长。他一见老酋长,就知道他对自己不会善罢甘休,马上带着部下,逃回独木船上去了。等酋长率部下追到,他们早已到了河的中间。岸上的黑人向独木船放了一阵枪,船上的人也回敬了几枪。阿拉伯酋长知道追不上了,于是下令回村。绑了梅林,一队人向南边走去了。躺在荒村街道上的黑人尸体,就是老酋长手下的人,在荒村中埋伏下监视梅林的,被马尔宾的部下打死了,老酋长见他已经断了气,也就没有再管。

酋长怎么会知道梅林在此呢?原来他带着部下沿河往南走,部下中有一个人到河边汲水,瞥见一个白种女人从对岸划着独木船过来,他觉得这件事有点蹊跷,就报告了酋长。原来非洲中部很少有白种女子出现,尤其是孤身一人的,更是少见。酋长听了报告,马上命人埋伏在荒村里,准备把她捉住,弄好了,可以勒索到一笔可观的赎金。这是他们常干的营生,他们从前曾用这种方法得到过不少金银珠宝,这是既不费力又得利丰厚的勾当。但自从宛那到了非洲之后，周围二百里是宛那的辖区，就很少有这种机会了。酋长这次真是没有料到，会有个白种少女自投罗网，开始还没想到会是梅林，捉住之后才认出来。酋长现在知道赎金是得不到了，但是无意中找回几年前的报仇对象，倒也感到满意。本来他可以吩咐部下让出一匹马来给她骑，但他偏要叫她步行相随，一路上用尽方法折磨她。他的部下虽也有看不过的，但也无人敢说。走了两天，才到了他们自己的村落，梅林重又回到这个地方。她一看就认识，这是她童年时代受苦受难的地方。她第一个见到的，就是原先看管她的，现在连牙齿都掉光了的老太婆玛布奴。梅林离开这里已有好几年，此时回想这几年的经历，竟好像是一场梦，四顾一看，这里什么都跟从前一样。如果不是自己身体长高了许多，装束也改变了，她都要疑心真的只是做了一场梦呢！

村里的人都赶来看这白人姑娘，有好多人已经认不出她了，一问才知道就是从前逃走了的酋长的女儿，愈发觉得稀奇，都想来看上两眼。玛布奴见了梅林，掩饰不住一副幸灾乐祸的快乐神态，咧开嘴巴不住地笑。梅林见了她，不觉回想起从前受过的种种虐待，从心里感到一阵阵发冷。

在这群看热闹的人中间，有一个二十来岁的阿拉伯人，此人有几分潇洒倜傥的味道，但他脸上总有一股掩藏不住的阴险神情。他老盯着梅林看，被老酋长赶开了。这青年的名字叫阿卜杜拉·堪麦克。

后来，人们渐渐散开了，只剩下梅林。酋长知道她是没有可能逃跑的，因为村边的栅栏又高又坚固，村门只有一个，日夜有人轮流把守，于是就把梅林放开了。梅林素来瞧不起这群残酷的阿拉伯人，还有跟着酋长一同作恶的黑人，因此，从来不愿意跟他们多说什么。她又走到幼年时代常常玩耍的树荫下，在那里，她曾和基卡玩耍、谈天，现在大树已被砍掉了，在原来的地方种了几丛灌木。重回旧地，她不禁想起了许多往事。这里是她第一次遇到哥鲁克的地方，也是哥鲁克救她出火坑的地方。由此，她又联想起哥鲁克对她的种种关切，真是数年如一日，像同胞兄妹一样爱护她。从前的自己真有点身在福中不知福，现在，和哥鲁克在一起的每件往事都成了珍贵的回忆。她也想到马里逊，觉得心里很乱，自己也说不清楚到底爱不爱这英国青年，只记得马里逊告诉过她，伦敦是如何的繁华，自己曾经听得很神往，所以至今记忆犹新。这时在她心里，哥鲁克和马里逊两个人的形象交替出现，她无可奈何地把手放在胸口上，深深地叹了一口气。忽然，她无意间摸到了藏在身上的照片，于是又拿出来，仔细地端详着。她已能确知这照片上的小姑娘就是自己了。从照片上能看出，小姑娘的衣领里，隐隐露出半条项链和一个小锁。她皱着眉想：这照片上的小姑娘，分明是文明社会的人，为什么我会是酋长的女儿呢？不对！这其中定有原因！那小锁梅林曾在阿拉伯酋长那里见过，从照片上可以断定这是自己的东西，这不是更加奇怪了吗？

　　她正在沉思，忽然觉得背后有一个人走来了，脚步轻得几乎没有声音。她急忙把照片仍旧藏在腰带中，已经有人把一只手放在她肩上了。她以为是老酋长，不敢回头看，只在等待着一顿毒打，可是等了一阵，不见动静。她回头一看，原来是那个阿拉伯青年堪麦克。

堪麦克说:"你藏起来的照片我已经看见了,那照片就是你幼年时的小像,可以再让我看看吗?"

梅林惊慌地避开了他。

堪麦克又说:"请放心,我看了之后马上还给你,我决不拿走,也不告诉别人。我知道你在这里的处境,也知道你不爱你的父亲,我也同样对他没有好感。请给我看看那照片吧!我绝不会说出去的。"

梅林听他的口气,似乎不含恶意,说不定还肯帮自己什么忙,不免犹豫起来。她想:如果不给他看,事情已经被他知道了,如果他把这事告诉了酋长,自己一定会吃苦头的,也许他说的是真心话,让他看看,或许能获得他的同情或帮助。于是她把照片又拿了出来,给堪麦克看。堪麦克端详着照片,又把它和梅林对照了好久,慢慢点着头说:"是的,这是你小时候的照片。但你是在哪里照的?为什么阿拉伯酋长的女儿不穿回教徒的衣服?"

梅林说:"我也不知道,以前我没有看见过这张照片,这是几天前从瑞典人马尔宾的帐篷中得到的。"

堪麦克蹙着眉,随手把照片翻转过来,看到上面贴着剪下来的一角旧报纸,顿时把眼睛睁大了。原来他认得一些法文,虽然不十分精通,可是大致能读报纸。以前他和两个沙漠中的朋友到过巴黎,在巴黎住过半年,还曾经去参观过展览会。就在这段时间里,他了解到法国的许多风土人情,也学了不少语言文字。这次,他学过的东西用上了,他缓慢地读着这张发黄的报纸,读完之后,急切地抬头问她:"照片背后的字你读过吗?"

梅林说:"那是法文,我一个字也不认得。"

堪麦克心里转着念头,站了很久,静静地看着梅林,她多么美丽啊!他望着她,也和别的男人一样,想把她据为己有。他思索了一会儿,暗暗打着主意,决意瞒下那段新闻的内容,恐怕让她知道了,妨碍自己的计划。他跪下一条腿去,低声对梅林说:"梅林!虽然我和你今天才第一次见面,但我觉得自己的一颗心,已完全在你身上了,我愿意做你忠实的仆人。你虽然不认识我,也不了解我,但我一定帮助你。你恨酋长,我也恨酋长,让我带你走,我可以带你到沙漠中我父亲的部落去。他的部落很大,我父亲也是酋长,他比这里的酋长仁慈得多,一定会好好待你的。你认为怎么样?"

梅林还是静静地坐着,她虽不愿领受他的盛情,但因为他表示肯帮助自己,所以不忍拂了他的好意,然而也没马上表态。而堪麦克以为她已经默许了,就一把搂过了她。梅林拼命挣脱了,说:"我并不爱你,请不要强迫我。在这个部落里,只有你还对我不错,但我只能尊重你,却不能爱你。"

堪麦克听了,站起来说:"不管你爱不爱我,我总得把你从这里救走,将来,你会爱我的。我想你既然恨酋长,当然不会把我们的出逃计划声张出去,如果你声张出去,就别怪我不客气了,我可以拿这张照片去自首。不过,只要你不把我逼到这一步,我是不会这样做的,因为我深恨酋长,同时……"

"你也恨酋长?"在他们背后,一个粗暴的声音恶狠狠地插进来说。

他们俩都吃了一惊,回头一看,才发现酋长已悄悄到了他们身后。这时,照片还在堪麦克手中,他以极快的速度塞进了自己的外衣口袋。

"是的,我也恨你!"堪麦克说着,跳到酋长面前,对准他胸口就是狠狠的一拳。酋长毕竟年老了,又没防备到他会有这一手,当时就被他打倒在地了。堪麦克趁此机会,转身跑到拴马的地方,很快跨上马就跑了。堪麦克原本准备去打猎的,所以马是早已备好了鞍的,是无意间瞥见了梅林,才过来和她搭讪。

堪麦克飞马奔向村子的大门,酋长已从地上挣扎着起来。他发狠要捉住堪麦克,当时就命令十多名武士骑着马去围追,务必要捉住他。但这些武士都不是堪麦克的对手,不是被他用火枪击中,就是被他用马冲倒。堪麦克拼命跑到了村门口,这里有两个黑武士守卫,想要挡他的去路,也都被他用枪打死了。他顺利地逃出了村子,奔向丛林去了。酋长暴怒至极,传令追赶,不活捉堪麦克,决不罢休。传令已毕,他又回到梅林身边,凶狠狠地喊道:"照片,刚才那条狗说的什么照片?放在哪里?快给我!"

梅林昏头昏脑地答道:"被他拿去了。"她被刚才这一阵突如其来的事闹得晕头转向了,还没有回过神来。

酋长一把抓住她的头发,拖起来乱抖着,怒喝道:"快说!是谁的照片?"

梅林说:"是我小时候的照片,我从马尔宾帐篷里拿到的,马尔宾大概是从旧报纸上剪下来的。"

酋长听了,脸色马上变得灰白起来,低声问:"剪报上的字怎么说?"

梅林说:"我不知道。因为是法文,我一个字也不认识。堪麦克似乎认识,可他还没来得及告诉我内容。"

酋长听了,似乎放下心来,脸色稍稍平和了些,居然没再打她,只是警告她,从此以后,除了他本人和玛布奴之外,谁也不准见。

跑出了村子的堪麦克,这时已顺着商队的通道,往北方飞驰去了。

我们再回过笔来说马里逊,他逃出了马尔宾的射程,顺水漂流,因受伤过重,晕倒在船底,好久好久不省人事。直到黄昏时候,才渐渐苏醒过来。仰卧在船底,马里逊望着天上的星星,忘记了自己还浮在水面上,恍恍惚惚好像在梦里一样。后来,神志稍微清楚了些,他才逐渐记起这两天来前前后后发生的事,知道自己身受重伤,躺在独木船里,在非洲的大河里漂流着。他挣扎着坐了起来,觉得血已经止住了,伤得似乎也不十分厉害,但要马上恢复体力,怕也不容易。自己如果不能打猎,寻找食物,一定会挨饿的。这可是头等大事!他又想到了梅林,此时的他,还以为她在马尔宾手中,即使马尔宾死了,她落到当地黑人手里,也是危险的。他觉得梅林之所以会受这许多灾难,都是自己引起的,他感到非常内疚。梅林本来好好的有宛那保护,自己一念之差,把她引诱出来,害得她身陷罗网,自己追悔莫及,越想越觉得对不起她。

现在他只有一个念头,那就是:如果不能把梅林从灾难里救出来,他宁愿死在她面前。他想划着船到岸上去,可是船桨呢?桨到哪里去了?他左找右找也没有找到。他望了望岸上,丛林里非常黑暗,一丝月光都没有。现在的马里逊已和从前完全不同,心里丝毫没有恐惧感,也忘记自己是负了伤的,只是一心一意想去救梅林。于是他跪在船舷边,用手代桨,划着水前进,划了好久,当中歇息了几次,喘喘气,蓄积些力量,最后总算靠近岸边了。林子里不时有狮子的吼声传来,他知道快要靠岸了,便把火枪拖出,放在脚边,手还在继续划着。他又划了一会儿,感到有东西触到他的脸上了,用手一摸,原来是岸上低垂到水面的树枝。船底下却有泼泼剌剌的声音,他明白了,船底下有鳄鱼。他连忙伸手抓住树枝,想尽快爬上树去,以逃开鳄鱼的袭击。狮子的吼声更近了,他疑心狮子已闻到他的气息,早在那里等着他了,说不定一下子就扑过来吞掉他。

他拉了拉手中的树枝,试试它的坚固性,觉得能够经得住自己的体重,于是他拿起来复枪,背在肩上,双手抓牢树枝,努力向上攀去,双脚渐渐离开了独木船。那条船失去了主宰,在黑暗中顺水向下游漂浮而去。现在,马里逊已经没有了退路,要么爬上树去,要么掉到水里去喂鳄鱼。他努力用手用腿攀上树去,可是因为受伤过重,伤处十分疼痛,使他无法得心应手,一用力,伤口就迸出血来。他试了好几次,总也没能爬上去,只好两手抓住树枝,暂时挂在树上。他心里明白,无论如何,必须设法爬上去。

狮子的吼声已近在耳边,马里逊望望岸上,只见两束绿色的炯炯目光向自己逼视着,原来狮子就站在岸上等他呢。马里逊知道狮子不会上树,可以暂时不去理它,可是他的脚还离水面不远,忽然脚下泼剌一声水响,觉得从水中蹿出来一个东西,咬住了他的一只脚,他疼得叫起来:"啊!这东西要我的命了!"

他拼命挣脱了鳄鱼,用尽力气向高处爬去,但由于臂力已快要用尽了,几次爬上去,又身不由己地溜了下来。他知道自己的生命就在这顷刻之间了。忽然,他听到头上浓密的枝叶间好像有个什么东西在动,那东西分明在向下面爬来了,它的每个动作,都在震动着马里逊抓着的树枝。他心里绝望地想:今天我恐怕逃不脱,非死不可了!只是不知道自己的命该断送在哪里,上面还是下面?他死命地抓住树枝,不多一会儿,觉得有一个柔软而又温暖的东西抓住了自己的手。接着,他就被一股神奇的力量拖上树去了,这是怎么回事呢?连他自己也莫名其妙。

二十四
复 仇

哥鲁克自从看到梅林和马里逊亲密地在一起,万念俱灰,就天天坐在象背上在林中闲荡,累了就在象背上打盹儿,慢慢地向西南走去。他一天只走几里路,因为他此行是漫无目的的。他心里不住地想:梅林在北方,自己却往相反的方向走,多走一里,离梅林就远一里。他明知梅林已另有了心上人,可是自己仍旧是爱她的,丢不下,忘不了。哥鲁克并不知道,他现在所走的这条路,正是阿拉伯酋长在河边捉了梅林回村落去的那条路。哥鲁克素有辨认足迹的本领,他从路上已经发现了足印,知道这是阿拉伯人留下的,因为他以前曾在阿拉伯酋长村边住过,所以很熟悉,一看就知道。他不想再去跟他们打交道,惹麻烦,他当然不知道老酋长把梅林捉去了。据他到丛林后的经验,凡是人类,似乎都对他没有好感,他再也不想和任何人见面了。到了河边,捉几条鱼来生吃了,就爬到树上去睡觉。忽然他被狮子叫声惊醒,又听见鳄鱼咬东西的声音,接着就听到有人大喊:"天哪!这东西要我的命了!"他往下一看,树枝上吊着一个人,处境十分危险。他对人类虽没有好感,但见死却不能不救,于是就把他救起,提到树上来。哥鲁克怎么也没想到,他救的这个人就是和梅林在一起的英国青年。马里逊在黑暗中也看不清对方的面目,以为他不是大猩猩就是大猿,正想掏出手枪来自卫,黑暗中却听到对方用流利的英语问他:"你是谁?"

马里逊听了吓了一跳,险些从树上跌下来,惊讶地说:"唉!你也是个人吗?"

哥鲁克不由得笑了,说:"那么,你以为我是什么呢?"

马里逊惊魂未定,来不及考虑礼貌不礼貌,老老实实地回答:"我以为你是个猩猩呢!"

哥鲁克大笑说:"你是谁呢?"

马里逊说:"我是英国人,叫马里逊·贝奈斯。你呢?"

"他们都叫我哥鲁克。"哥鲁克没说真名,只说了阿库特赠给他的名字。他又把马里逊仔细辨认了一下,问,"哦!你就是那天在东方大平原上,和一个姑娘接吻的人吗?"

"是的。"

哥鲁克问:"你来这里有什么事?怎么又受了这么一身的伤?"

马里逊说:"那女子被坏人抢去了,我要去救她。"

哥鲁克一听就急了,跳起来问:"她被人抢去了?谁抢了她?"

"那个瑞典商人,名叫汉森。"

哥鲁克急问:"汉森现在在哪里?"

马里逊把事情的前后经过,以及马尔宾驻扎的地方,都一一详细告诉了哥鲁克。哥鲁克极仔细地听着。这时天色已微明,哥鲁克扶马里逊到一株大树的枝杈上坐下,自己到河边去汲水,又到林中去采了些水果,给马里逊吃了,对他说:"你先在这里休息一下,我到瑞典人的帐篷去,把那姑娘救出来还给你。"

马里逊说:"我也去!这是我的责任,也是我的义务,她是我的未婚妻。"

哥鲁克不由得向后退缩了一步,说:"你受了伤,不能赶路,我一个人去要快得多。"

马里逊说:"不!我一定要去,你请先走,我在后面慢慢跟来。这是我应尽的义务,我不能不去。"

"那就悉听尊便吧!"哥鲁克嘴里这样说着,心里却暗暗好笑,这家伙既然非要去送命不可,也只好由他。本来自己也有想杀他的意思,只是看在梅林的分上,才饶过了他。假如梅林真爱他,他也真心想竭力保护梅林,倒也是个好事。他固执地要跟自己走,看来是劝阻不住的。不过这些事都可以暂时搁置一旁,当务之急是要尽快救梅林出险。

哥鲁克撂下马里逊,飞一般地向北跑去,负伤的马里逊吃力地在后面缓缓跟着。哥鲁克追到马尔宾营地的对岸时,马里逊一瘸一拐,走几步歇一歇,连二里地都没走完。走到下午,忽然听到背后有马蹄声传来,他不知来的是什么人,就向路边的草丛中一躲,向马奔来的方向窥视,只见一个穿白袍的阿拉伯人骑着马飞驰过来,从自己面前奔过去,一转眼就已经看不见了。马里逊很为这个阿拉伯人担心,因为他走的那条路,正是毒蛇猛兽经常出没的地方,他从北方来的时候,曾遇到过危险。这个飞奔而去的人就是堪麦克。大约又过了半个小时,马里逊又听到背后有马蹄声,这次从声音听起来,已经不只是一个人了,而是大队人马。这时他正走在一片平原上,已经没有办法像前一次那样躲避起来了,若想逃跑,受了伤的腿绝对跑不过马队,他正在犹豫间,大队穿白袍的阿拉伯人已经赶到了。他们用阿拉伯话喝问他,马里逊根本听不懂,于是后面赶到的人也都上来围住他,吵着闹着。阿拉伯人中也有懂英文的,但都是一知半解,吵了半天,彼此都没法了解对方的意思。后来,有两个人上来,缴下他的武器,抓住他,逼他上马。派两个人押着他回南边去,其他人仍然跟着酋长,去追赶堪麦克。

哥鲁克到了河边,望着对岸马尔宾的帐篷,却想不出渡河的办法。他见营地人来人往,断定汉森一定还在,但此时的哥鲁克并不知道汉森就是马尔宾。他知道河里鳄鱼很多,是绝不能游水过去的。他思考了很久,回身又往丛林方向走去,一边走一边发出尖锐的啸声,侧耳听了听,远远已经有了回应的声音,他又继续地叫着。隔了一会儿,他丛林中的好朋友大象来了,哥鲁克高兴地喊着:"快来!吞特!"

大象走到哥鲁克面前,立刻伸出长鼻,把他卷起,放在背上。

哥鲁克在象背上催着它,一直朝西北方向走去。到了距马尔宾帐篷上游一里以外的地方时,哥鲁克知道这里有个水浅沙平、很容易过河的地段,象经常从这里渡河。他果然找到了这个地方,只用了十几分钟,就到了对岸。哥鲁克坐在象背上,沿河南下,没多久就到了瑞典人的帐篷前。帐篷的门是向东开着的,大象驮着哥鲁克却是从北面进去的,这里没有门,可是对大象和哥鲁克来说,没有门并不妨碍他们。大象冲破了帐篷,直闯进去。十多个正在谈天的黑人见突然闯进一头象来,都吓得魂飞魄散,没命地逃跑。大象原想去追赶他们,却被哥鲁克阻止住了。哥鲁克命它向中央的一座大帐篷走去。

马尔宾躺在帐篷前的吊床上,上面支着一把遮阳伞。他受伤也很重,流血过多,身体软弱无力,听到旁边帐篷里有奇怪的声音,又见部下逃跑,回头一看,才见一头大象正从后面冲来。没有一个人敢来救他,也没有一个人肯来救他,只剩下了他一个人。他认出象背上的人,就是几年前从捕兽机中放走了狒狒王的白武士。这下,他吓得六神无主了。只见哥鲁克跳下象背,走到他面前,用英语对他说:"姑娘在哪里?"

马尔宾问:"什么姑娘?我这里没有姑娘,只有我部下的家眷,你要一个吗?"

哥鲁克说:"别胡说八道!我找一个白种姑娘,你别想瞒我了,姑娘是你从你朋友那里抢来的,你把她藏在哪里了?"

马尔宾慌忙解释说:"这事不是我干的,是一个英国青年叫我干的,他要劫持姑娘到伦敦去,姑娘自己也愿意去,只是背着庄园的主人。这英国人名字叫马里逊,你要找那姑娘,可以问他去要。"

哥鲁克本来已经知道了底细,见他如此狡猾,不觉气往上撞,厉声说:"我才从他那里来,是他指点我来找你的。姑娘并没和他在一起,你不用再撒什么谎,她到底在哪里?快说!"哥鲁克说着,又向前逼进了一步。

马尔宾吓得脸上变了颜色,直冒冷汗,叫道:"我告诉你,你不要杀我,我把我知道的一切都详细告诉你。那姑娘以前确实在这里,是马里逊把她从宛那的庄园里诱骗出来的,准备带她去伦敦结婚。马里逊并不知道那姑娘真正的出身,但我知道,假如有谁把她送回法国的家里去，就可以得到一笔数额很大的赏金。可是一不小心，她乘小船逃走了，逃到对岸，被原来收养她的阿拉伯酋长捉回去了。酋长怎么会在对岸，我实在不知道。后来马里逊来过，我交不出姑娘，马里逊生气了，对我开了几枪。如果你要找那姑娘，现在只有向阿拉伯酋长去要了。我说的可都是实话，请求你高抬贵手，不要杀我。"

哥鲁克十分惊愕，问："这么说，她不是阿拉伯酋长的女儿了？"

马尔宾点头说："是的，她不是他的女儿。"

哥鲁克紧追着问："那么，她是谁呢？"

马尔宾见这个白武士这样急着追问，他心里又在转主意了。本来他一见哥鲁克，很担心自己会被杀，现在知道有活命的希望了，就尽量装出一副诚恳的样子说："假如你能找到她，我再告诉你也不迟。你若能饶我不死，将来所得的赏金，我情愿和你平分。你要是杀了我，你就无从知道她的身世了，她也就终此一生，只能在沙漠里当个阿拉伯女子。知道她身世的，除了我之外，还有一个，就是阿拉伯酋长，可酋长是绝不会告诉你的，因为，他也有他的难言之隐。就连那姑娘本人，也不知道自己的身世呢。"

哥鲁克说："只要你肯说实话，我就饶了你。我现在就到酋长的村落去，那个地方我是认识的。如果你骗了我，姑娘不在那里，我回来一定杀了你！至于她的身世，如果她自己需要知道的话，我自会找你，我是有办法让你讲出来的。"

马尔宾两只贼眼滴溜溜乱转着，知道哥鲁克会用武力来榨取他掌握的秘密，于是他打定主意，只要哥鲁克转身一走，他马上逃之夭夭。他正在暗暗庆幸,忽然间,他瞥见了那头象。大象正在对他怒目而视,小眼睛里似乎要喷出火焰来。哥鲁克也在观察着马尔宾,对马尔宾的话,也没有完全相信,他走进帐篷去找梅林,找了多处,确实没有。当哥鲁克走开之后,大象走到马尔宾面前,仔细地审视他,原来象的视力并不太好,它起初看见这黄胡须的白种人,已经有些疑心,因为看不太清楚,就伸过鼻子来闻,它的嗅觉比视力要灵敏得多。马尔宾见象这种神态,吓得魂不附体,他自己明白,为了取得象牙,他猎杀过不少头大象,今天,怕是遇见对头了。大象嗅了好久,认定这个人就是几年前杀死它伴侣的仇人,于是从喉中发出愤怒的声音,两个眼睛变得血红。象的记忆力是很强的,有仇必报,绝不忘记。马尔宾预感到极大的危险在向他逼近,他拼命大叫:"救命啊!救命啊!这魔鬼要杀我了!"

哥鲁克听见喊声,连忙从帐篷里跑出来,只见大象把马尔宾连吊床和遮阳伞一起,高高卷起,猛力向地上一摔。哥鲁克急忙去制止,谁知平日非常听话的大象,这次对他的命令置若罔闻,根本不予理会,表现出发疯一样的愤怒。原来大象发怒时摔人,也是有分寸的,如果向上抛起,然后掉下来,尚不致摔得太重,这种情况,说明大象尚未十分暴怒;若是暴怒已极,就不是这种摔法了,而是用鼻子卷起,用尽全力向地上摔去,这种摔法,力量更大,人没有活下来的可能。大象对马尔宾,就用的是第二种摔法。哥鲁克从帐篷里奔出时,正看见大象用鼻子高高举着马尔宾,马尔宾还在两脚乱踢地狂喊救命,大象却像猫玩老鼠一样,轻便地转了个身,用尽全力把马尔宾摔在地上,马尔宾已经被摔扁了,仿佛贴在地上的一块湿泥。那大象还余怒未平,又用巨大的脚连捣了几下,马尔宾几乎成了肉饼了。大象又用长鼻卷起尸身,丢到丛林中去了。

哥鲁克看着这个平日对自己温和有加的朋友今天这样毫不留情地杀人,心里也明白了几分,大象和这个人之间,一定有什么深仇大恨,否则,大象是不会如此的。哥鲁克亲眼目睹了这幕惨剧的全过程,也感到惊心动魄。他并不怜悯马尔宾,只是可惜一件事:他还没有从马尔宾口中问出梅林的身世,马尔宾一死,就更无从打听了。现在只有一条路可走了,那就是到阿拉伯老酋长的村落去。哥鲁克呼唤大象过来,它仍旧很驯服地走过来,好像刚才什么事都没发生过一样,把哥鲁克轻轻卷起,放在背上,按着哥鲁克的指示前进了。

躲在丛林中马尔宾的部下看到主人惨死,又见那白武士高高坐在象背上,向丛林中走去了,一个个吓得目瞪口呆,噤若寒蝉。事后,也都作鸟兽散了。

二十五
生死边缘

阿拉伯酋长开始是自己率领人马去追堪麦克的,后来他改了主意,派部下去追堪麦克,自己先回村了。过了一阵,部下回来向他报告说,堪麦克没有追到,却捉到了一个受伤的英国青年,已经押回来了。酋长听了,十分生气,以为这个英国人大概是个迷了路的小贩,根本没有必要押回村来,他怪部下为什么不立刻杀了他。酋长走到马里逊跟前,恶狠狠地用法语问他:"你是什么人?"

马里逊回答:"我是英国贵族,我叫马里逊·贝奈斯,是来非洲旅游的。"

老酋长发现又有希望得到一笔赎金了,立即改换了另一种口气,略为和善地问:"你既是贵族,到我部落的辖区来做什么?"

"我并不知道这里是你的辖区,我到这里来,是为了找一个青年女子,她是被别人从她朋友处抢来的。我遇到了那个抢女子的匪徒,是他把我打伤了。我漂流在一条独木船上,人事不省,等我醒过来,才走上岸,本想继续去找的,不知道为什么,就被你的部下捉到这里来了。"

"一个青年女人?你看看,是不是那一个?"酋长说着,向左边栅栏边的灌木丛里一指。马里逊顺着他的手一看,立刻惊奇地睁大了眼睛,见有个女子,背向着他坐在地上,从背影看很像梅林,于是他高声叫了一声:"梅林!"

马里逊一边叫着,一边就想往梅林身边跑,可是还没走上两步,就被一个黑武士伸出手臂,拦回原地。梅林听见有人喊她的名字,回头一看,竟是马里逊,于是也跳起身来喊道:"马里逊!"

"不许高声!好好给我站在那里。"酋长喝住了梅林,又转向马里逊骂道,"原来是你这个信奉耶稣教的狗,从我这里偷走了我的女儿!"

马里逊十分惊讶地说:"你的女儿?她是你的女儿吗?"

酋长愤怒地高声说:"是的,她是我的女儿。我决不允许她嫁给异教徒!他妈的,你这个英国鬼子真该死!不过,你要是能拿出一笔赎金来,我可以饶你一命。"

马里逊惊奇地睁大眼睛看着梅林,心里十分纳闷,她怎么会出现在老酋长的帐篷边?他满以为梅林还在瑞典人汉森手里。究竟发生了什么事?她是怎样从瑞典人手中逃脱的?是这个阿拉伯酋长把她抢回来的吗? 还是她自愿地跑到这个把她称作女儿的保护人这里来的?马里逊心里拿不准她在这儿是否真的安全。他很想跟她搭讪几句,劝她跟自己离开这儿回伦敦去,但又怕因此触怒了阿拉伯酋长。正在暗自盘算如何劝诱她逃跑时,阿拉伯酋长一声断喝,打断了他的思路。

"喂!怎么样啊?"阿拉伯酋长大声问道。

"噢!请原谅!"马里逊解释说:

"我刚好想到一件别的事情上去了。要钱?当然,那是毫无问题的,我当然愿意支付。只要你说个数目,看我值多少钱就是了。"

酋长沉吟了一阵,终于说出了一个数目,这个数目大大低于马里逊的估计,所以他很痛快地就点头答应了。其实,酋长即使要的钱再多,他也准备答应,说老实话,他根本就没打算付什么赎金。他之所以做出心甘情愿的样子,一口答应下来,唯一的原因就是:如果梅林愿意跟他逃跑,他就可以趁等待赎金送到的这段时间,找机会和梅林一起逃走了。

阿拉伯酋长提到梅林是他的女儿这一点,颇引起了马里逊的疑心。梅林怎么会成了他的女儿呢?这也许只是阿拉伯酋长对年轻女子的一种普通称谓?对于逃跑这件事,梅林会持什么态度呢?一个如此美丽、高雅的年轻女子,如果宁肯放弃回到舒适、豪华、惬意的非洲别墅,而愿意留在这样一个凌乱而肮脏的阿拉伯部落,可真令人难以理解了,何况正是马里逊把她从那样的别墅里骗出来的。不过马里逊还算有点良心,当他一想起这件事,一种羞愧之心,不禁让他脸红起来。

就在马里逊思绪纷乱地想这想那的时候,酋长又指示他立即写一封讨付赎金的信,向英国绅士家庭讲明,他们的亲属正被扣押在他手中,要求支付一笔赎金。这种事对酋长这个老流氓来说,已经是轻车熟路了。所以他口述着指示,非常清楚而且流畅。可是,到最后,当马里逊发现这封信是发给阿尔及利亚领事馆的,并且信中要求在半年之内将赎金送到时,他不禁着急起来。他要求说,最好是从最近的有电信通向英国口岸的地方,直接发一封电报给他的律师,把自己的现状及要钱的事告诉他,就省时省事得多了。但阿拉伯酋长却是十分谨慎小心的,他极粗暴地否定了马里逊的要求,认为只有他自己的做法才是万无一失的。他不怕等,不着急,为了稳妥地得到钱,他可以等上一年。他认为马里逊提出的做法中有许多未知数,是他掌握不了的。所以尽管他信上不得不要求半年内把钱送到,他还是宁愿如此,实际上,只要有钱,时间的长短他才不在乎呢!于是他转身对一个站在他身边的阿拉伯人吩咐了几句话,内容是如何安顿这个英国俘虏。

马里逊虽然不懂阿拉伯语,但从酋长的手势中,他看出酋长对他下属谈的是有关自己的事。接着,这个阿拉伯人就招呼马里逊跟他到帐篷外面去。马里逊想再跟酋长说点什么,酋长却显出不耐烦的样子,摆手叫马里逊跟他的部下走开。马里逊只好站起来,跟那个阿拉伯人走到羊皮帐篷边上一间小土屋去,这里面黑暗窒闷。那个阿拉伯人转身叫来两个黑人,指示他们把马里逊的手腕和脚踝绑牢。这时,不管马里逊怎样地抗议和争辩都没有用了,因为这两个人根本听不懂马里逊说的是什么。这两个人把马里逊绑好之后,就离开了小屋。马里逊被孤独地丢在这间小屋里,他躺了很久,心乱如麻。此时,他开始考虑到他的未来了,谁知未来还会发生什么可怕的事?他想,他的亲友收到那封要求支付赎金的信以前,他要等待很长时间,现在,他期望着他们办事越快越好,甚至希望他们立刻就能支付那笔赎金,至于数目多少都无所谓,只要他能立刻离开这座小狗洞,就别无所求了。现在事情的发展可与他原来的计划大相径庭了,他原想利用阿拉伯酋长看不懂电报这一点,告诉他的律师根本不要付什么赎金,而且通知西非政权,立刻派一支救援部队来,解救他这个无辜的俘房。

马里逊被小屋里的臭气熏得直打喷嚏,他身体下面垫着的肮脏杂草,散发着人体的汗臭味以及牲畜的粪便味。而比这些更糟的是,当他开始恢复知觉时,他感到一种瘙痒在全身蔓延,特别是手、脖子以及头皮。这简直是一种比拷打还难受的刑罚,因为他双手被绑在背后,自己毫无办法减轻痛苦。

他拼命抽、拉、蹬、踢,想挣脱捆绑的绳子,直到他筋疲力尽,气喘吁吁。经过这一番挣扎,他到底取得了一点成绩,终于弄松了手腕上的绳扣,居然把一只手抽了出来。

夜幕降临了,他们既没给他送水,也没给他送食物,他简直不敢想象,他们会不会就这样让他忍饥挨饿地度过这一年半载。过了一阵,不知是什么虫子的叮咬,似乎没有刚才那么烦人了,其实并不是虫子的数量减少了,大概是由于他有点适应了。马里逊由于这样的艰苦处境,倒坚定了逃跑的决心。所以,他仍不断地努力挣脱捆绑他的绳索。天完全黑了以后,老鼠又逞起凶来,如果说刚才虫子的叮咬只是让人烦躁的话,现在老鼠的活动更令马里逊觉得可怕。它们在马里逊身上跳来跳去,叽叽乱叫,互相打斗,最后有一个竟大胆地咬起马里逊的耳朵来了。马里逊被咬急了,大叫一声,用力一挣,居然坐了起来,那只老鼠也被吓跑了。马里逊趁此机会,腿上一用力,又跪了起来,最后,他竟以超常的毅力站了起来。尽管他是摇摇晃晃地站起来的,却已累出了一身大汗。

"上帝!"他咕噜着说,"我到底干了什么事,竟该受到……"他不由得停了下来,因为他想起了在这个让人诅咒的部落里,另一个帐篷中的梅林恐怕也在受着和自己一样的罪!一想到她,他觉得自己是罪有应得,没什么可埋怨的了。就在这时,他听到离小土屋不远的羊皮帐篷里传出一阵愤怒的争吵声,其中有一个妇女的声音。虽然双方都用的阿拉伯语,他一个字也听不懂,但他听得出,那就是梅林的声音。

他在转着念头,试图想点什么办法,以期引起她的注意,让她知道,他就在附近。万一她能帮他松绑,如果她愿意,他们就可以一起逃跑了。这个想法开始在他脑海里转来转去,现在他无法确知的是,梅林在这个部落里,到底处于一种什么地位?如果她真是酋长的女儿,那她还逃跑干什么?所以他一定先得弄清楚,她与酋长究竟是什么关系。

忽然有一件事在马里逊的记忆里浮现了出来:过去在宛那的别墅里,马里逊常听梅林伴着钢琴唱"上帝保佑我王",马里逊想,我现在何不用这个歌跟她打招呼呢?于是他提高了嗓音,唱起了这首歌。很快,他就听到了梅林从另一个帐篷里发出的回应:"永别了!马里逊!"她高声喊着说,"如果上帝是仁慈的话,让我今晚就死,要是我明天还活着,那将比死还难受!"

接着,就听到一个男人发怒的斥责声,接着,又是剧烈的抽打声。马里逊听着,脸都吓白了,他发疯地努力挣脱绳索,绳扣终于松了下来,不多一会儿,他的另一只手也挣脱出来了。然后,他弯下腰,解开了脚踝上的绳子。于是他站起身来,照直走出了屋门,朝着梅林那边走去。当他刚走入外面的黑暗中时,两个巨大的黑影立在他面前,挡住了他的去路。

一旦哥鲁克需要迅速行动的时候,再没有什么东西比他肌肉发达的四肢更管用了。大象把他安全地送到阿拉伯酋长村寨那边的河岸上之后,哥鲁克就丢下大象,迅速地跳上了树,然后根据瑞典人告诉他的梅林所在的方向,一直飞奔而去。当他走到村寨的木栅栏前时,天色已经黑下来了。这排木栅栏现在看起来,比从前他把梅林从它的残酷禁锢中救出去时,又加固了很多,过去在栅栏边伸展着枝条的那棵大树已经没有了,想进栅栏当然没有以前那么方便。但是,常人所设的任何防护物,对哥鲁克来说都不会成为什么问题。他从腰间解下随身携带的绳子,把绳头拴成一个套,抛向栅栏的一根柱头上,只一会儿的工夫,他已登上了木栅栏的顶。他登到高处一望,村寨里的一切尽收入他的眼底。看清楚附近确实没有人了,他飞身翻入木栅栏,轻轻一跳,就跳到了村子里的地上。接着,他对整个村子进行搜查,首先奔向阿拉伯人的帐篷,边听边闻,一个一个地挨着仔细寻找梅林的气息和踪迹。他轻捷无声地像一个黑影在移动,甚至连村寨里的那些狗也没发现他。烟草的气味告诉他,阿拉伯人正在他们的帐篷里抽烟,而且,不时听到他们的笑声。忽然,他听到了从另一个方向传来的"上帝保佑我王"的歌声,他吃惊地停住了脚步,这是谁的声音呢?一个男声?他陡然想到被他留在树杈上的英国人,等他后来再回来时,那个小子已经不见了。隔了一小会儿,他又听到一个女子的回应声,对了!这是梅林的声音!哥鲁克这个丛林中无敌的杀手,立刻朝着梅林发出声音的方向,无声无息地蹿了过去。

这天晚饭以后,梅林朝着阿拉伯酋长帐篷中妇女住的地铺走去,过去她一直在这个地方住。这是帐篷的一角,是用两块波斯毛毯在帐篷的后部隔出的一小部分。在这里,她和玛布奴住在一起,因为阿拉伯酋长现在并没有妻室。

这时,酋长掀开了毛毯,在暗淡的光亮中向女铺这边看了看,然后向梅林说:"梅林!你过来一下!"

梅林爬起来,走到帐篷的前半部,帐中一灯如豆,微弱的灯光仅够照亮灯周围的一小部分,摇曳的巨大的人影被投射在帐篷上,让人产生一种恐怖感。只见酋长的异母兄弟阿里·本·卡定坐在毯子上抽烟,酋长站在那里。酋长和卡定是同父所生,卡定的母亲却是西海岸的黑奴,所以卡定虽是酋长的亲弟弟,但在部落里地位很低,没人尊敬他,年岁比老酋长小不了多少,但还没有结过婚。他长得十分丑陋,面颊和鼻子因为生疮,已经烂掉了。卡定看见梅林进来,脸上露出狰狞的笑容。

酋长向卡定走近一步,对梅林说:"我年纪已经老了,说不定什么时候就会离开人世,所以我决定把你嫁给我的兄弟卡定。"

酋长的话音刚落,梅林还没反应过来,卡定马上站了起来,快步走到梅林跟前。梅林刚想转身逃往帐外,早被卡定一把抓住。

"走!"卡定命令着,硬拉着梅林,出了酋长的帐篷,到他自己的帐篷中去了。

酋长等他们走了,高声大笑着说:"再隔几个月,把她送回老家,让他们知道,我哈吐尔的外甥,不是可以随便杀的!"

在卡定的帐篷里,梅林见实在逃不掉了,就再三恳求,但卡定根本不理。起初,卡定还用温存的话劝诱,后来见她执意不肯听从,就生起气来,现出了真面目,想动手搂住梅林。就在梅林第二次挣脱的时候,传来了马里逊的歌声。她回答了马里逊之后,卡定扑上来把她抓住了。这次卡定把她拖到后面的帐篷中,那里有三个女黑奴,她们见了,并不感到什么奇怪,因为在这里发生这种事,早已是家常便饭了。

马里逊从土屋中走出来,见有黑人拦住他的去路,一股无名怒火冲向了头顶。这位英国贵族顿时像一头野兽被激怒了,怒骂了一声,直冲上去,把两个人都打倒在地,其中一个已被他打昏了。另一个黑人要抽出佩刀来,马里逊双手紧紧卡住他的脖子,不许他出声。那黑人边挣扎着边拔出了佩刀,向马里逊身上刺去,马里逊因为身上旧伤加新伤,体力不足,无法把那黑人掐死,就用左手掐住黑人的脖子,腾出右手来,在地上乱摸,终于摸到了一块石头,猛力向黑人头上砸去,打得那黑人脑浆迸裂,一声没吭就断了气。马里逊站起身来,直向梅林发出声音来的帐篷跑去了。

但另外一个人比马里逊先到了,这就是半裸着身体围着豹皮的哥鲁克。他到的时候,恰巧看到卡定拖着梅林到后面的帐篷去。哥鲁克在帐篷上用刀划了一个洞,就从洞里爬了进去。里面的人见了大吃一惊,梅林见了他,立刻认出这正是自己梦寐思念的人,心里又是快乐又是骄傲,马上叫出一声:"哥鲁克!"

"梅林!"他也只喊了一声作为回应,来不及和她说话,急忙赶上去,直奔卡定。三个女黑奴从席上爬起来大声吼叫着,梅林刚想要去拦阻她们,话还没出口,她们就从哥鲁克进来的洞中爬出去了。这三个黑女人一边哭喊着,一边奔向村中,大声呼救去了。哥鲁克一手掐住卡定的脖子,另一手拿刀,朝卡定心窝刺去。卡定哼都没哼一声,就倒在地上死了。哥鲁克站起来,走到梅林身边,细看她的模样,出落得比当年更好看了,情不自禁地搂住她,在她脸上吻了一下。

忽然,从外面闯进一个浑身是血的人来,梅林一看,喊了一声:"马里逊!"

哥鲁克回头一看,进来的人正是马里逊,以往的很多创痛又重新泛上他的心头。

村中的黑武士听见三个女黑奴的呼喊,一齐向卡定的帐篷跑来。帐篷里的三个人,再不能在这里停留了,彼此之间也来不及说什么了,他们必须对付面前陡然出现的情况。

哥鲁克对马里逊说:"你快保护梅林逃走,从帐篷后面走,快!让我来对付这些人。给你!这是我的绳子,越过栅栏时,你可能用得着。你赶快保护着梅林逃出险境,千万小心!我在这里给你们断后,免得他们追你们!快走!"

梅林高叫了一声:"那你怎么办呢?哥鲁克!"

"你们快走,别管我!我要留在这里,还有话要问酋长呢!"

马里逊带着梅林走了。一大群黑人已蜂拥入帐,哥鲁克奋力迎战,这是他有生以来第一次与这么多的敌人血战,他已把自己的生死置于度外,只希望马里逊带着梅林能平安逃出险境。他东杀西拼,左冲右突,进来的黑人越来越多,整座帐篷也被他们从外面包围了。这样对打了一段时间之后,哥鲁克终因寡不敌众,被生擒了。黑人们把他绑起来,推到酋长的帐篷里去。酋长瞪了他好一阵,已经认出哥鲁克就是头一次救走梅林的人。今天是他第二次来抢劫梅林,这使酋长怒不可遏,至于卡定被杀,他倒并不介意,他们弟兄之间平日就不和睦。但眼前这半裸白武士,以前曾打过他一拳,把他打倒在地,使他在众多部下面前丢了丑,这一拳之仇不报,他的恶气是难消的,但一时他还想不出一个最恶毒、最解恨的报仇办法。

酋长坐在那里,怒视着哥鲁克,心里盘算着怎样狠狠地收拾他。丛林里忽然传来了大象的叫声,哥鲁克听觉敏锐,他一下就听到了,脸上露出了一丝别人不易发现的微笑。他回过头去,也发出了一声奇怪的低叫,酋长和身边的黑人都不明白他这是干什么。黑人嫌他叫的声音难听,就用矛尖在他嘴唇上刺了一下,却没有一个人知道他是在和大象呼应。林中的大象听到哥鲁克的叫声,就来到了村外栅栏边,用长鼻嗅着。它用头顶来推木栅栏,但栅栏的木桩太坚固了,一时还推不倒。

坐在帐篷中的酋长和他身边的黑武士们,对大象的行动一点儿也没有察觉,酋长似乎已经想好了主意,站了起来,指着哥鲁克,对黑武士下了命令:"烧死他吧!外边有现成的木桩。"

黑武士们听到酋长一声令下,不敢怠慢,一齐动手,把哥鲁克推到村寨当中的空场上。那里立着一根又高又坚固的木桩,这木桩原不是为烧人而立的,是用来吊打奴隶的。凡是倔强不听话的奴隶,都吊在这木桩上,往往要活活打死才肯罢手。他们七手八脚地把哥鲁克绑在了木桩上,又去搬了许多干柴枯草来,堆在哥鲁克四周。酋长站在那里,盯着哥鲁克,希望看到哥鲁克因恐怖而求饶的样子。然而令他失望的是,哥鲁克竟神态自若,好像这些人不是要烧死他,而是在和他开玩笑。一直到黑武士们点燃了火,哥鲁克才低啸了一声,大象的回应声从外面传来,里面的人们正闹哄哄的,竟没有一个人注意到危险已经到了他们身边,谁也没有听到大象拆栅栏的声音。

大象用力推着木栅，由于一根根木桩栽得太密了，总也没能推倒，它听到了哥鲁克的第二次叫声，同时也嗅到了人类的气味。它似乎已经觉察到有人要加害它的好友了，木栅的阻挡，使它恼怒了，于是它伸直长鼻，后退了几步，低着头，照直向木栅撞过来。木栅虽然结实，到底被大象冲倒了一个缺口。这个声音，哥鲁克是清楚地听到了的。这时柴草已被点燃，发出了很大的噼啪声，多数阿拉伯人没注意到木栅处发出来的声音。熊熊的火焰渐渐向哥鲁克烧去了！这时有一个黑人听到背后有奇怪的声音，回头一看，见一头大象直向他们冲来，大叫一声，吓得没命地跑开了。大象愤怒着冲入人群，一路上卷着阿拉伯人和黑人，左右乱甩，一直冲到火场中央的木桩前，去救哥鲁克。酋长倒还能保持几分镇静，马上命令部下赶快到帐篷中去拿火枪。还没等拿枪的黑人回来，大象已经把哥鲁克连同木桩一起拔起。象本来也是怕火的，可是为救哥鲁克，就顾不得那么多了，只有舍命向前冲去。大象这种忠诚舍己的性格，倒真是人所不及的。

大象把哥鲁克连人带桩卷了起来，高高放在头上，返身从原路往外走。这时酋长已经拿到火枪，站在人群让出来的一条大道中间，瞄准大象开枪。子弹没有一颗是命中的，倒像是为他们送行。大象横冲直撞地过去，踏死了许多黑人和阿拉伯人，就像人们踏死昆虫一样。

大象驮着哥鲁克，小心翼翼地向丛林黑暗处走去了。

二十六
忠心和误解

在很长一段时间里,梅林在感情上总丢不开哥鲁克,一直希望再见到他;可是在理智上,她又认为这种可能性很小,有时她甚至觉得他恐怕不在人间了。今天,两个人忽然见了面,都惊喜交集,可惜有许多心里话还没来得及说,就被当前的紧迫情况冲散了。梅林神思恍惚地跟着马里逊来到了栅栏边,马里逊按照哥鲁克教的方法,用绳子打了个活结,套在木栅的一个柱头上,果然很顺利地爬上了栅栏顶,然后俯下身来接梅林。他轻声说:"来!梅林!我帮你上来,我们得赶快才好!"

这句话好像把梅林从梦中唤醒了,她忽然记起了哥鲁克独自留在了寨子里,正和敌人交战,哥鲁克可是自己的多年伴侣,久寻未见的人啊!自己应该留在他的身边,帮他应付敌人,哥鲁克现在的拼死血战,可都是为了自己啊!她抬起头来坚定地对马里逊说:"你赶快走!到宛那那里去,请他立刻派人来救援。我应该留在这里,你身上有伤,留在这里没有好处,趁现在快走,快上宛那庄园上去求救兵!"

马里逊又默默地下来了,走到梅林身边,指着寨内说:"我是为了你,才离开他走的。我知道他的能力比我强,足以抵挡敌人,可以让你安全脱险,所以才同意他的话,由我保护你走,让他去应敌,其实我是应该留在里面拼死一战的。我听见你叫他哥鲁克,知道他就是你多年以来想找的旧日朋友,是天意让你们现在相见了。我对你实在是不道德的,请你不要打断我,让我向你坦白忏悔吧!我明白过去的我简直像个畜生,当初我答应带你到伦敦去,并没有真正要和你结婚的诚意。是的,这是我的真心话,你听了不要变了脸色,也不要向后退去,请你让我说完,我是在向你自首呢!我应该受到蔑视,因为我不懂得真正的爱情,我的居心和行动,玷污了爱情这个神圣的字眼,只是逢场作戏,玩玩而已。后来我明白了,我以前的行为实在是不应该。我没有理由轻视贵族社会以外的人,我过去是被势利的等级观念糊住了心,以为你的门第不足以做我的妻子。后来汉森用诡计骗了你,抢了你去,我才觉悟过来,这也给了我一个悔罪补过的机会,虽然这已经是太迟了。现在,我可以把我赤诚的爱情奉献给你了。"

梅林沉默了好一会儿,问道:"你到阿拉伯人村落来干什么?"

马里逊把过去经历的一切都详细地说了一遍,从汉森手下的黑人告诉他实情讲起,一直讲到现在。

梅林仔细地听着,听他讲完,思索了一会儿说:"你说你是个懦夫,那你怎么会有这么大的勇气追踪来救我呢?你这几天的行动可不像个懦夫,我是不会爱懦夫的。"

"这样说,你是爱我的?"马里逊大喜过望,呼吸急促地问,他一边说着,一边走近梅林,想把梅林搂入怀里,但她轻轻地把他推开了。她现在的心情,连她自己也说不清楚,她曾经爱过马里逊,那时是因为她隐约感到哥鲁克不在人世了。现在她已见到了哥鲁克,他活着,他就在离她不远的地方,为了她的安全,在冒险拼杀,如果她这时接受了马里逊的爱,就是有负于哥鲁克了。不错,现在她清楚地知道,自己仍旧爱着哥鲁克。不过,自己过去和哥鲁克,又像只是兄妹之爱,到底这是不是爱情?她一时有点想不明白。他俩就这样静静地站着,各人想着各人的心事。忽然,村里鼎沸的人声又把他们拉回到现实中来了。

梅林侧耳听了听,听到黑人们快意的喊叫声,惊恐地说:"不好!他们要杀他了!"

马里逊也从苦思中惊醒过来,说:"你在这里稍等,让我去看一看,只要他活着,我一定拼死命救他!"

梅林说:"我和你一同去,快走!"

梅林在前面走,带马里逊到卡定的帐篷去。他们十分谨慎,伏身在黑暗处,蹑手蹑脚地前进。到了卡定的帐篷后面,从破洞处向里一望,里面没有人,他们钻了进去,把作为隔帘用的毯子轻轻掀开一角看了看,前帐也没有人。两个人走到帐篷门前,向外一望,梅林忽然发出一声惊叫,马里逊看了外边的场面,也是又急又怒。

他们看见百尺之外的木桩上绑着哥鲁克!四周堆着枯草干柴,已经点燃了。马里逊急了,把梅林推到一边,自己想冲过去救哥鲁克。时间非常紧迫,他已没有工夫考虑如何去救了。幸好这时大象已经闯了进来,村里人都在慌不择路地逃命,把马里逊挤到一边去了。马里逊亲眼看见大象救了哥鲁克,踩死了很多人,村寨中的男女都惊慌失措,东藏西躲。这时有十几匹马惊了,从马厩里脱了缰跑出来,在路上横冲直撞。马里逊灵机一动,想到了一个主意,回过头来找到梅林,和她商量道:"你看!马!假如我们有两匹马,无论是去追大象、救哥鲁克,或是回宛那庄上,不都好办多了吗?"

梅林原本就熟悉村寨里的路径,马上领马里逊到马厩前,说:"你去选两匹马出来,牵到茅舍后面的空场上去,我知道什么地方有马鞍,我去取来。"

马里逊依照梅林的话,牵了两匹马到空场上去等,等了好一阵,才见梅林背着两副马鞍来了。他们分头把两匹马备好,这时只见成群的阿拉伯人和黑人刚从惊慌失措中定下神来,在那里追赶逃走的驴、马和其他牲畜。追到了的,就准备牵到他们现在站着的这个地方来。

梅林和马里逊都意识到停留在这里是危险的,梅林飞身跳上马,大声说:"我们快走!就从大象撞倒的地方冲出去!"

村里的人见有两个人骑着马飞奔而去,都很惊奇,等看清了他们是谁,才从背后向他们开了排枪。梅林和马里逊奋不顾身,冒着枪林弹雨,冲出村寨,一直向北跑去了。

哥鲁克连同木桩躺在大象的背上,走进了森林,直到听不到村寨里的声音了,大象才把他放下来。但大象却不会帮他解开绳索,哥鲁克自己挣扎了好久,还是解不开。他在地上挣扎,大象在一旁守护。丛林中其他动物都怕大象,因之都不敢走近他们。直到第二天天都亮了,还是一筹莫展。哥鲁克想,如果这样久困在丛林中,总不是个办法,连饥渴问题都解决不了,那怎么成呢?

梅林和马里逊顺着大河,一直向北走去,她以为哥鲁克总会有办法解开绑绳,而且还有大象保护,所以她很放心。可是马里逊被阿拉伯人打中了一枪,受了重伤,她想赶快送他到宛那的庄园上去治疗。她说:"我们先回去,我会请求宛那一同来找哥鲁克,以后,就让哥鲁克和我们住在一起。"

他们整整走了一夜,到了黎明时分,忽然对面有大队人马走来,队伍整齐,不像是当地土著人。临近一看,正是宛那和他部下的武士。宛那看见马里逊和梅林在一起,脸上微露怒容,因为他早已知道他诱拐梅林逃跑的事了。然而他还是耐心地听完了梅林诉说离开别墅之后的所有情况。听完之后,宛那收起了脸上的怒色,问道:"你说你们找到了哥鲁克,你们真的看见他了吗?"

梅林答道:"是的,我看得清清楚楚,他被大象救走了。我正要请求你和我一同去找他回来。"

宛那回身问马里逊说:"你也看见他了吗?"

马里逊说:"是的,我也看见了。"

宛那问:"据你看,他是怎样的一个人?大约有多大岁数?"

马里逊说:"我看他像英国人,年岁和我差不多,他长得很结实,皮肤是浅褐色的。"

宛那忽然急切地问:"他的眼睛和头发是什么颜色?你注意了没有?"

梅林抢着回答:"头发是黑色的,眼睛是灰色的。"

宛那不再问什么了,马上对手下的头目说:"把梅林姑娘和马里逊先生护送回家去,我要到丛林里去。"

梅林请求说:"宛那!让我和你一同去吧!你既要去找哥鲁克,最好带我一同去,我认识他,也熟悉他。"

宛那说:"按规矩,按情理,你都应该在你心爱的人身边。"

宛那跳下马,把马交给头目,看着他们走向回庄园的路。梅林一语不发,骑上马,跟着队伍徐徐走去。马里逊伤势很重,发起了高烧,所以他们替他采集树枝,做了个临时担架,抬着他走。宛那站着,目送他们远去。他看梅林头也不回,骑马前进,知道她很悲痛,也很替她难过。他一向深爱着梅林,把她看作自己的女儿,他从梅林的叙述中,知道马里逊已经悔悟,并且用行动表现出他已改过自新。如果梅林真爱他,愿意嫁给他,自己也不反对。但宛那心里总隐隐觉得,梅林和马里逊很难成为佳偶。

宛那看回庄园的队伍走远了,自己身边再没有别人了。他走到一株大树旁,抓住一根粗树枝,做了个引体向上,然后用猫一样敏捷的动作跃上树去,跳到一个枝叶繁密处。他把穿的衣服一齐脱下,从肩上带着的一个口袋里取出鹿皮围裙,围在腰上,又拿出了一根绳索和一把佩刀。

宛那站直了身体,把头一仰,胸一挺,脸上露出一丝笑容,又嗅了嗅周围,眼睛一阖,就跳到了稍下的树枝上,在枝叶间,顺着河流,向东南方向走去。他不时地啸叫着,走了有几个钟头,才听到从他左边的丛林中传来了一声大猿的回啸。宛那听了似乎很高兴,眼中露出喜悦的光彩来,又向那边长啸了一声。

哥鲁克挣脱不了绳索,知道困在这里只有等死。于是他对象说了几句话,让大象重新背起他,向东北走去。在那一带地方,哥鲁克曾见有白人或黑人往来,如果能碰见这些人,就可以指使象把他卷来,请他替自己解开绳索。同时,他知道阿库特也常在这一带出没,如果遇见了,一定可以给自己松绑。当初在伦敦鲍勒维奇的住处,阿库特曾在他的指导下,给他解过绳索。于是哥鲁克在林中不断发出啸声,这啸声在南方的阿库特也隐隐听到了,渐渐循声而来。而这两边的啸声,宛那也都听到了。

宛那手下的头目奉命护送马里逊回庄园。梅林垂头丧气骑在马上,跟着前进,一路苦苦寻思,怎样才能找回哥鲁克。走了不多的路,梅林把头目叫过去说:"我不回庄园上去,我要去追宛那!"

头目摇摇头说:"不行!宛那命令我送你回庄园,我不敢违命,只能把你送回庄园去。"

"这样说,你是不让我走了,是吗?"

头目点点头,他让梅林走在前面,自己跟在后面,免得梅林兜转马头,猛然跑去。梅林心里暗笑着,她已看出头目的用意,知道他忠于主人,自然不肯责怪他或违拗他,只是边走边想办法。当他们经过一株枝叶低垂的树下时,那头目吃了一惊,前面马背上的梅林忽然不见了,马却还在平平稳稳地走着。他们叫着,找着,结果谁也没找见梅林的踪影。大家无法,只好先送马里逊回庄园。

梅林跳上树后,向东赶去,她知道这条路是大象常往来的。她一心想找到哥鲁克,她自忖不该只顾马里逊,而不管哥鲁克。她在树上匆匆地飞奔着,不多一会儿,已听到大猿呼叫同伴的声音,心里一阵喜悦,一直向发声的地方奔去。不久,她又嗅到了大象味。到了临近的树上,她拨开枝叶向下一看,看见高高躺在象头上的,正是哥鲁克,木桩还绑在他背后。她高叫了一声:"哥鲁克!"

大象听见有人声,马上放下哥鲁克,回身冲过去,准备迎敌,保护好友。哥鲁克已听出是梅林的声音,也叫了一声:"梅林!"梅林很高兴地跳下树去,想给哥鲁克解绳子,那大象却不认识梅林,一心只想保护哥鲁克,不许任何人再伤害他。它怒吼了一声,看样子马上要采取行动了。哥鲁克着急地喊:"梅林!快上树!快上树!大象要杀你呢!"

梅林却有恃无恐地一点儿也不害怕,站在那里对大象大叫:"大象!你不认识我了吗?我就是小梅林呀!从前我常常骑在你背上的。"

象当然不认识长大了的梅林,更不熟悉她这一身装束,所以始终也不理睬她,仍然怒吼着。大象真急了的时候,连哥鲁克的话都不听了,哥鲁克也没有办法打发它走开。在大象心里,除了哥鲁克之外,其他任何人,都是它的仇敌,它不能丢下哥鲁克走开。梅林和大象周旋了很长的时间,因象还是拿定了主意,不许她走近哥鲁克,唯恐她伤害自己刚从危险中救出来的朋友。后来,哥鲁克想出来了一个主意,他对梅林说:"你假装往回走,溜到下风头去,暗中跟着我们。到了适当的地方,我可以支开它。等它走了之后,你就可以替我解绳子了。哦!你有刀吗?"

梅林答道:"我有小刀。我立刻就走,我们或许可以和它开个玩笑,但大象很机灵,恐怕我们会白费心思呢!"

哥鲁克笑着,他也觉着她的话不无道理。梅林照哥鲁克的话走开了,哥鲁克又指挥大象把自己卷到它头上,寻找道路前进。大象犹豫了几分钟,才照他的命令做了。这时哥鲁克已远远听到大猿的啸声,他想:阿库特来了,很好!大象是认识阿库特的,一定肯让它走近自己。

哥鲁克于是也长啸答应,仍向林中前进,心里一边还在想着自己和梅林订的计划,不妨也试验一下。到了一个空场上,哥鲁克嗅到了水味,心想,这是一个适当的机会了,就让大象把他放下来,又命大象去取水。大象果然依言而去,走之前嗅了一会儿,又把周围默默地观察了一阵,才缓缓走去。哥鲁克知道那条河远在二三百米之外,他满以为这次他的林中好友一定上他的当了,心里暗暗得意。可他哪里知道,大象并不像他想的那样傻,并没有立刻到河边去,只是往前走了一段,在林中隐藏起来,偷偷观望着,恐怕哥鲁克有危险。它想要看看这个不知从哪里冒出来的女子会不会重新追来,加害哥鲁克,因此,它宁可晚一点去取水,要在暗中看守一阵,等到能断定确实没事之后,再到河边取水也不迟。它正在那里看着,果然见那女子跳下树来,直奔向哥鲁克,大象沉住了气,没有马上行动,它要等她走到哥鲁克跟前,再迅速地冲上去,免得她逃跑了。这时它两眼冒火,摇摆着小尾巴,几乎要怒吼起来。看着女子拿着一把明晃晃的刀,快到哥鲁克身边了,大象大叫一声,直向梅林冲过去。

二十七
骨肉团圆

哥鲁克眼看大象直向梅林冲过来,又吃惊又着急,想要喝住大象,却毫无效果。梅林迫不得已,只得又向树下跑去。大象的身体虽然笨重,但向前冲时,却比火车头还快。

哥鲁克被绑着,躺在地上,只好看着,无能为力,急得直冒冷汗,几乎连脉搏都停止了。他希望在大象还没冲到时,梅林先跳上树去;即使能如此,也不能说就安全了,因为大象有其他动物所没有的长鼻子,可以把梅林从树上卷下来。哥鲁克是熟悉大象的,这时,一幅惨景已经在他想象中浮现:象把梅林卷下树来,向地上一摔,然后用巨大的象脚把她踏成肉泥。哥鲁克想闭起眼睛来,不忍目睹这幅惨景,但眼睛又闭不上,他因这过度惊骇,咽喉都干燥得窒息起来。他被吓呆了,在丛林中生活多年,从未遇到这样的危险。再有十几步距离,大象就要逮到她了!梅林的生命也就完了!忽然,出乎意料的事发生了:哥鲁克瞥见一个陌生人,从树上跳下来,越过梅林,迎头拦住了大象。哥鲁克看这人是个半裸的围着鹿皮围裙的白种成年人,身材非常魁梧。他肩上搭着一条长绳,腰间挂着一把猎刀,空手阻挡着象。只听他喝了一声,大象就站住不动了。梅林趁此机会,安全地跳上树去。哥鲁克见了

只听他喝了一声,大象就站住不动了。

这一幕,又惊又喜,他仔细向那救梅林的大汉一看,脸上渐渐露出了惊奇的神色。

大象站在那人身边,摇摇摆摆地依然发出怒声,那人对大象不知说了几句什么话,大象便不再出声了。那人向哥鲁克走去,大象垂着双耳,老老实实地跟在他后面。

梅林在树上也看到了这一切,正惊奇着。那人走了几步,忽然想起梅林还在树上,于是向树上叫道:"下来吧!梅林!"

梅林下了树,才看清那人的面目,不觉惊叫道:"宛那!"于是她很敏捷地跳到宛那身边。大象很疑惑地看看宛那,又看看梅林。宛那又对大象说了几句话,大象才放她过去。宛那和梅林一起走到哥鲁克面前,哥鲁克一见宛那,目光中露出了惊愕、快乐、羞惭、请求宽恕的复杂神情。宛那跪下一条腿,替他解着绳索,慈爱而温和地叫了一声:"杰克!"

哥鲁克哽咽着说:"爸爸!谢谢上帝!果然是你啊!我原也感到奇怪,还有谁在丛林中制服得了象呢!"

原来宛那就是人猿泰山。泰山很快替哥鲁克解开了绑绳,杰克跳了起来,双臂抱住泰山,把头扎在泰山怀里。泰山忽然想起了什么,回头对梅林说:"我不是叫你回庄园上去吗?"

哥鲁克见他们讲话,像是早已认识的,更加觉得奇怪。他本来想把梅林搂在怀里,但一想起漂亮的英国贵族马里逊,和那位风度翩翩的青年一比,自己只不过是个野蛮的人猿,不觉又克制住了自己。

梅林看着泰山的眼睛回答说:"你不是对我说,按情按理,我都应该跟我心爱的人在一起吗?现在我照你的盼咐做了。"说着,她转回目光,望着哥鲁克,眼中毫不掩饰地露出爱慕的光彩来。哥鲁克张开双臂要去搂她,但到了她面前,忽然改变了姿势,屈了一膝,握着她的手,恭敬地吻了一下,好像一位王子吻着公主一样。

正在这时,大象忽然又叫了起来,三个人回头一看,原来是他们忠心的老朋友阿库特来了。阿库特见自己认识的三个人都在这里,欢喜万分,跳到地上,高兴得不知该怎么做才好。跟在阿库特后面的二十多个大猿,也一齐来到,阿库特带领大猿,拥上来叫道:"泰山回来了!丛林之王泰山回来了!"

阿库特命令大猿把他们包围起来,叫着,跳着。这是阿库特族对泰山表示的最大敬意。只有大猿之王才能享受这种热诚的敬礼。阿库特自己虽也是猿王,但它把泰山父子看作是丛林之王,当然比自己又胜一等,所以它也在群内欢呼着。

哥鲁克感动地摸着父亲的肩头说:"丛林里只有一个泰山,这里没有别人比你更伟大了!"

欢呼了一阵之后,泰山领着儿子和梅林往回走。路上走了两天,才到庄园前的丛林平原上,已能望见屋顶上袅袅的烟影了。泰山把衣服穿好,哥鲁克因为没有衣服可穿,不愿这样去见母亲。梅林怕他再溜走,所以提出留下来陪他,不肯先回去。泰山拗不过他们,只得允许他们在此稍等,自己去取衣服和马匹来。

琴恩在门口迎接泰山,眼眶里满含泪水,她见梅林没有一同回来,就问:"梅林到哪里去了?管家伟万里告诉我,她违背你的命令,你走了之后,她一个人到丛林里去了。啊!泰山!我怎么能放得下心呢?她会不会不愿意回来?"

琴恩说着,不禁伏在泰山的肩头上哭了。她每逢遇到不如意时,就会伏在泰山的肩上哭泣,好像这样就可以得到一些安慰。

泰山扶起她的头来,看着她的泪眼,不觉要笑出来。

她把泰山的脸端详了一阵,疑惑不解地问:"怎么?泰山!你带来了什么好消息吗?快告诉我,别瞒着我呀!"

泰山说:"有关于我俩的一个大好消息,不知你听了可支持得住?"

琴恩说:"快乐是不会杀人的。你已找到她了吗?"她虽也有几分猜到有可能找到了杰克,不然,泰山不会问她是否能支持得住,但她到底不敢相信会有这样的大好事。

泰山激动地说:"是的,琴恩!我不仅找到了梅林,而且还找到了杰克!"

琴恩激动得语无伦次地说:"那么他在哪里?他们在哪里?"

泰山说:"别急!他们都在丛林边,杰克因为没有衣服可穿,只披了一条豹皮,他不愿这样来见你,所以我先回来替他拿点衣服。"

琴恩快乐地拍着手,回身向屋里奔去,又回过头来对泰山说:"请你稍等一等,幸而他的小衣服,我都带得很齐全,我就去拿来给你!"

泰山大笑,把她叫住说:"你以为他还是个小孩子吗?家里只有一种衣服他能穿,那就是我的,也许他还嫌小呢!琴恩!咱们的小儿子已经长大了!"

一小时以后,哥鲁克回家来见母亲。琴恩多年来思念儿子,一旦见了面,立刻把哥鲁克搂入怀中,怎么抚摸都仿佛不够。哥鲁克从母亲深深的慈爱中，已经明白自己当年不辞而别、私逃非洲的过错，已然得到宽恕了。过了一阵，琴恩又走到梅林跟前，脸上的快乐神情消失了，带着几分悲戚告诉梅林："我的小姑娘！我们都太快乐了，你却遭到了极大的不幸，马里逊伤势太重，救治无效，已经亡故了。"

梅林听了，虽然很悲伤，但并不像死了意中人那样，只是说："我很难过。他险些害了我，幸而他在死之前，已经坦诚地向我认了错，而且尽力用行动补救了过失，我认为他能勇于改过，还不失为一个好人，我很尊敬他，但这并不是爱情。过去，我几乎不懂什么是爱情，直到知道哥鲁克还在人间，我才知道了什么是真正的爱情。"说着，回头向哥鲁克露出了一脸灿烂的微笑。

琴恩立刻向杰克望去，希望从儿子的目光中找到答案，将来杰克有一天是要承袭爵位的。琴恩心里，对于儿子和梅林，并没有等级门第观念，她甚至于认为梅林进入一个贵族家庭，毫无逊色之处。但她必须知道儿子的心思，他是不是真心爱这个阿拉伯小姑娘？她看了杰克的目光，明白了答案是肯定的，她把他们俩一齐搂在怀里，连连地吻着说："现在我真的有一个女儿了！"

离他们庄园不远的地方，就有一座教堂，于是他们就请牧师来证婚。泰山一面休息几天，一面替杰克和梅林筹备婚礼。结婚之后，他们便启程回英国去。在旅途中，各处的景物和风土人情，都是梅林闻所未闻、见所未见的，她从来想象不出文明社会竟是这样多姿多彩、绚烂夺目。甚至连大海的宽阔、轮船上的颠簸、火车上的劳累，都令她心驰神往。

他们回到爵士府邸后，才休息了一个星期，泰山就收到老友得·阿诺的一封信,介绍一位叫阿尔芒·雅可的法国将军来拜访。克莱顿爵士一看这位将军的名字,就知道他是法国当代的一位名人,因为雅可是一位真正的王室成员,即兑·卡卓那亲王。只因为他是一位热心的共和党人,所以他在正式场合一贯拒绝使用他的家族已用了近四百年的王室称号。他经常对人说:"民主国家,不应该有什么亲王,我要凭自己的战功立身。"泰山对他久有耳闻,很钦佩他,当他到来时,特请他到书房会晤。雅可将军是个长着鹰鼻、留着灰色胡须的人。

宾主寒暄已毕,雅可将军说:"我到贵府造访的原因是,听得·阿诺将军说,你对非洲中部的情况非常熟悉,因此特来请教一件事,这件事说来话长了。十几年之前,我在法属非洲驻防,因为剿匪,得罪了阿拉伯人,他们把我的小女儿劫去了。我曾用尽心力,花了很多钱悬赏找她,甚至政府也给了我不小的助力,但始终没有她的任何音信,她的肖像也曾在世界各大城市的大报上登过。尽管如此,还是没有一个人向我报告过有关她的消息,也没有人发现过任何线索。一星期之前,有个阿拉伯少年,自称叫堪麦克的,到巴黎来找我,他说看见过我的女儿,愿意领我去找她。我立刻领他去见得·阿诺将军,因为我知道他到过非洲中部。经他询问堪麦克,照他所说的分析起来,这个像是我女儿的白种女子,被阿拉伯人拘禁在你非洲领地不远的村中。得·阿诺将军建议我来请教你,也许你知道你领地的邻近是否有这样一个女子。"

泰山问:"那阿拉伯少年可有证据,证明这女子是您的女儿吗?"

雅可将军说："那少年有一张从旧报纸上剪下来的照片，后面还贴着悬赏的新闻。我并没有据此就信以为真，因为，也许他偶然得到这张报纸，凭空捏造了一个白种女子在阿拉伯村落的故事，来诓骗这笔赏金，这种可能也不是不存在。他会认为我女儿失踪已久，报纸又已破旧发黄，这会使我们难于辨认的。我不能据此就冒冒失失远涉重洋到非洲去，所以在去查访之前，先来向你请教一下，希望你不吝赐教。"

泰山问："你说的那张照片，不知你带在身边没有？"

雅可将军从口袋中掏出一包东西，从其中拿出一张发黄的照片，交给泰山。雅可将军看着失踪女儿的照片，不禁老泪纵横。

泰山接过照片，仔细辨认了一会儿，眼中忽然放出异样的光彩来，随手拉了一下铃，一个仆人应声走进来，泰山吩咐说："去问问少夫人，假如她没有事，请她马上到书房来。"

他俩静静地坐着，谁也没再说话，雅可将军看了这情形，有点莫名其妙，误以为泰山不肯相助，他非常熟悉上层社会的规矩，平时又很习惯于讲究礼节，自然不好多问或强求。他准备等少夫人出来之后，就告辞退出。不一会儿，梅林进来了，雅可将军和泰山都站了起来，泰山并不急于给双方作什么介绍，只从旁边静静地观察着他们。他方才见了那照片，就疑心梅林是雅可将军的女儿若娜。姑娘虽然大了，但面貌特点还有几分是能辨认出来的，更何况泰山有着超过常人的敏锐目光呢？

雅可将军向梅林打量了一下，意外惊愕地问泰山："怎么？你早已知道了吗？"

泰山笑着说："不！我也是方才看照片时才知道。"

雅可将军感慨万千地说:"就是她!让我找了多少年啊!但她可不认识我了,她当然已经不认识我了。"雅可将军转向梅林说,"我的孩子!我是你的……"

梅林不等他说完,立刻伸开双臂,直扑上去,快乐地喊道:"爸爸!我认识你!我认识你!虽然那时候我很小,但我见了你,仍能记起来。啊!过去有许多我怎么也想不明白的事,这一下,就都明白了。"

雅可将军把梅林紧紧地抱入怀中。

泰山把杰克和他母亲也叫出来,把整个事件经过告诉了他们,小梅林找到了父母,他们都非常快乐。失而复得的团聚,使两家人沉浸在幸福之中。

梅林向杰克说:"现在你知道你娶的不是阿拉伯姑娘了,你看好不好?"

杰克说:"你本身就够好了,我娶的是我的小梅林。对我来说,你是阿拉伯姑娘也好,你是小白猿也好,我都不介意。"

雅可将军说:"我亲爱的孩子!她既不是阿拉伯姑娘,更不是小白猿,她应该承袭公主的地位呢!"